WEISSY
Zeichnungen
Satoshi
Yamamoto
POKéMON™ 2
SCHWARZ 2 UND WEISS 2
Story
Hidenori
Kusaka
SCHWARZY

INTERNATIONALE POLIZEI – GEHEIME ANWEISUNG
VON DER ZENTRALE AN DIE SCHWARZE NUMMER ZWEI

IN DER ANGELEGENHEIT TEAM PLASMA WERDEN SIE MIT DER DURCHFÜHRUNG FOLGENDER ZWEI AUFGABEN BETRAUT, FÜR DIE SIE NACH EINALL ENTSANDT WERDEN.

1. FESTNAHME DER SIEBEN WEISEN.
2. SICHERUNG DER VON DEN GEGENKRÄFTEN INNERHALB TEAM PLASMAS VERSTECKTEN SPEICHERKARTE.

WÄHREND IHRES AUFENTHALTS IN EINALL NEHMEN SIE DIE IDENTITÄT EINES SCHÜLERS DER TRAINERSCHULE AN.

Die Einall-Region. Zwei Jahre sind seit dem Überfall auf die Pokémon-Liga durch Team Plasma vergangen. Eventura City ist gerade dabei, sich allmählich von den damaligen Geschehnissen zu erholen, als der junge Schwarzy, ein Agent der Internationalen Polizei, auftaucht. Der Junge, der die Identität eines Schülers der Trainerschule angenommen hat, verfolgt zwei Ziele: zum einen die Verhaftung der Vorstände von Team Plasma – die Sieben Weisen – die sich nach besagtem Vorfall in alle Richtungen abgesetzt haben sollen. Zum anderen die Sicherung der Speicherkarte, die von Gegenkräften innerhalb Team Plasmas versteckt wurde.
Schwarzy vermutet, dass seine Mitschülerin Weissy im Besitz dieser Speicherkarte ist und versucht sich ihr anzunähern, indem er schulische Aktivitäten als Vorwand nutzt. Zur gleichen Zeit beginnt Achromas, der Anführer des neu formierten Team Plasma, nach dem weisen Violaceus zu suchen, um mithilfe von dessen geheimen Wissen das Pokémon Kyurem – das zu Eis gefrieren kann – in seinen Besitz zu bringen…!

HAUPTFIGUREN

SCHWARZY

Ein Agent der Internationalen Polizei. Ob Kampf oder Fangen, dieser "Mr. Perfekt" beherrscht alles! Er hält sich gegenwärtig in Einall auf.

WEISSY

Dieses Mädchen ist vor Kurzem an die Trainerschule gekommen. Sie scheint ein ehemaliges Mitglied von Team Plasma zu sein. Sie ist im Besitz eines Anhängers, in dem sich ein Foto von N befindet...

LEBELLE

Ein erfahrener Ermittler der Internationalen Polizei. Als Untergebener von Schwarzy soll er ihn bei der Festnahme der Sieben Weisen unterstützen.

LEO

Ein Klassenkamerad von Schwarzy. Er ist so schüchtern, dass er in der Gegenwart von Mädchen seinen Mund nicht aufbekommt, aber sein Talent als Pokémon-Trainer ist unbestritten. Bei der Pokémon-Liga kam er unter die letzten acht.

MATISSE

Ein Klassenkamerad von Schwarzy. Seit seiner kleinen Schwester in der Vergangenheit ein Felilou gestohlen wurde, hegt er einen abgrundtiefen Hass gegen Team Plasma.

CHEREN

Ein Jugendfreund des verschollenen Schwarz. Er tritt eine Stelle als neue Lehrkraft an der Trainerschule von Eventura City an.

BELL

Eine Jugendfreundin des verschollenen Schwarz. Gegenwärtig arbeitet sie als Assistentin im Labor von Professor Esche in Avenitia.

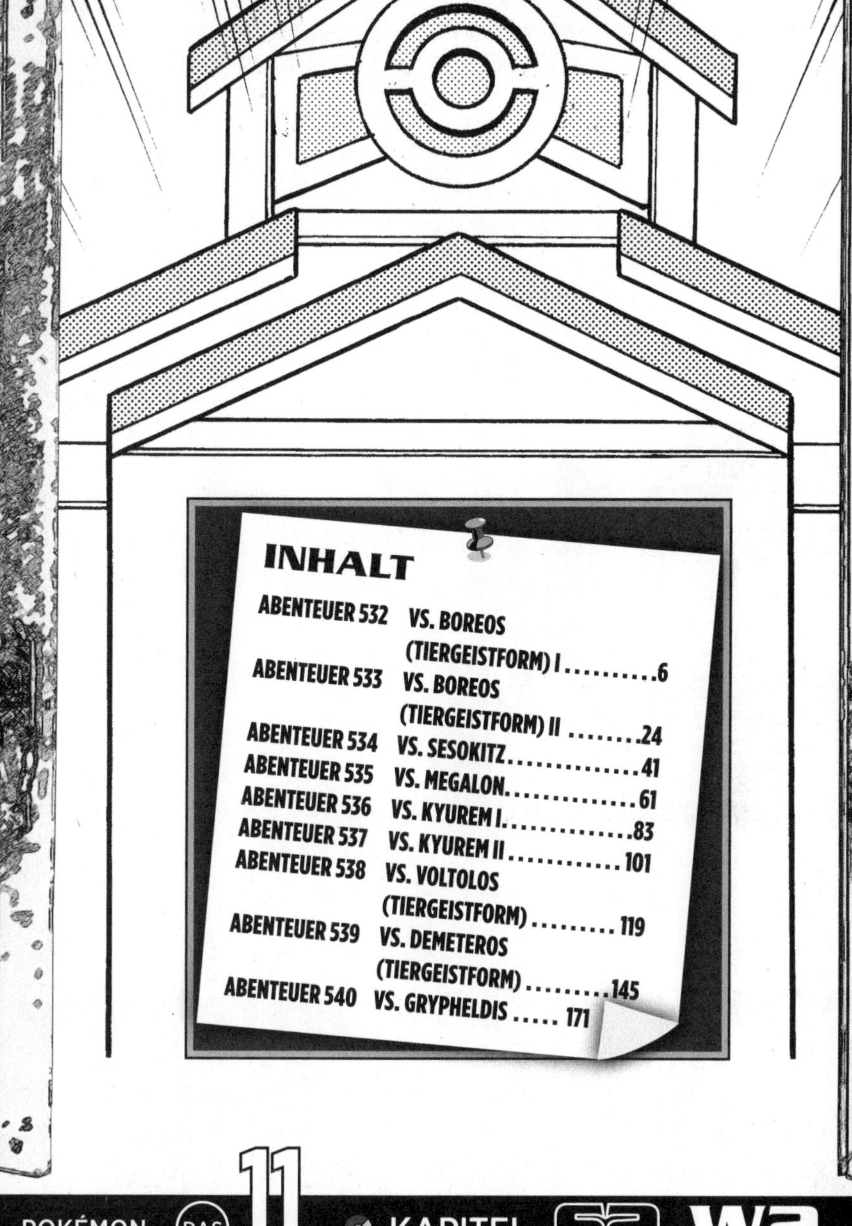

INHALT

DAS 11. KAPITEL,
S2-W2
ABENTEUER 532
VS. BOREOS [TIERGEISTFORM] I
"LEGENDÄRER TORNADO"

N!

HERR N!!

HERR N!!
SIE SIND WIEDER ZURÜCK?!

ICH HABE DIE GANZE ZEIT AUF SIE GEWARTET!
ICH, WEISSY... ICH HABE...
DIE GANZE ZEIT ...!

HEHE ...

ACH!
HERR N!!

NUN SIND WIR FREUNDE, NICHT WAHR?

SO.

KOMM MIT MIR.

WAAAAAAAH

WAS HAST DU?! WEISSY !!
EIN EIN-BRE-CHER ?
EIN PER-VER-SER ?!
ODER MATISSE ?!
HÄMMER
HÄMMER
IST ALLES OKAY ?!
I-I-ICH HABE NUR SCHLECHT GETRÄUMT ...
SOR-RY...

RUMMS!

ACH, HERR-JE...
NEIN. DAS KANN DOCH NICHT SEIN...

NUR EIN TRAUM.
ES WAR NUR EIN TRAUM.
DEN-NOCH ...

MAN SAGT, DASS TRÄUME DAS AUS-DRÜCKEN ...
... WAS MAN TIEF IM HERZEN FÜHLT...
DAS HEISST ...

ICH... ICH...
... HABE TIEF IN MIR GEFÜHLE FÜR IHN...?!
UND DIESES GLITZERN, DAS IHN UMGAB...!

NEIN, NEIN, NEIN!!

DAS IST NICHT WAHR, NEIN! HERR N!
ICH HABE NUR GE-FÜHLE FÜR SIE ...!!

...

WAS ?!
WEG!
ER IST WEG !

DER ANHÄNGER MIT DEM FOTO VON N...
... IST WEG !!

DAS HABE ICH NUN DAVON!
WEIL ICH NICHT VON N, SONDERN VON EINEM ANDEREN GETRÄUMT HABE...!!
DAFÜR WURDE ICH NUN BESTRAFT!!

WUSCH
ACH, BELL.
JA... ICH KANN JETZT SPRECHEN.
WAS?
NEIN, ICH UNTERRICHTE GERADE NICHT.

MORGEN UND ÜBERMORGEN BEREITEN WIR UNS AUF DEN CHOR-WETTBEWERB VOR, UND ES FINDET KEIN UNTERRICHT STATT.
JA. DIE SCHÜLER FREUEN SICH DARAUF...

SIE SIND GANZ AUSGELASSEN...
RAUN
HM...? WAS...?

GRRRRR

DU ...!

NEIN!

WAAAAH!

HERR CHEREN!
HEY, MATISSE, WAS IST HIER LOS?!

IRGEND-WAS SCHEINT MIT IHM DOCH NICHT ZU STIM-MEN.
BERUHIG DICH...

MATISSE BELÄS-TIGT UNS!
SEIT HEUTE FRÜH STARRT ER UNS AUF DEN HINTERN UND DIE BRÜSTE!!
ER SCHNÜF-FELT SOGAR AN UNS!!
ICH HABE EUCH WEDER ANGESTARRT NOCH AN EUCH GE-SCHNÜF-FELT!!

HEY, LEO.
JA?

ABER DIE VEREINBARTE ZEIT IST BEREITS VORBEI.
MORGEN FRÜH WOLLEN WIR PROBEN. DIE BÜHNE WIRD NICHT RECHTZEITIG FERTIG SEIN.

WAS IST MIT DEN EINHUNDERT STÜHLEN FÜR DIE BESUCHER UND DER LAUTSPRECHERANLAGE?
DIE SOLLTEN DOCH HEUTE ANGELIEFERT WERDEN?
DAS STIMMT.

SOLL ICH MAL NACHSEHEN GEHEN?

DAS WÄRE NETT, SCHWARZY.
ICH BIN SCHLIESSLICH FÜR DAS AUFSTELLEN DER GERÄTE ZUSTÄNDIG. OHNE SIE KANN ICH JA EH NICHT WEITERMACHEN.
AUSSERDEM ...

... STÜRMT ES HEUTE ZIEMLICH.
VIELLEICHT IST DAS DIE URSACHE FÜR DIE VERSPÄTUNG.

ICH KOMME ZURÜCK, SOBALD ICH MEHR WEISS.
VERSTANDEN. ICH SAG HERRN CHEREN BESCHEID.

GEHEN WIR, WEISSY.
WAS?
WAS?
WAS?

ROUTE 20
DA!
DER INS-PEK-TOR!
QUIETSCH
ER HAT DAS MÄDCHEN DABEI.
LEBELLE, HEUTE STEHT EINE WICHTIGE MISSION AN.
ICH HABE DIE INFORMATION ERHALTEN, DASS JEMAND FLAVUS VON DEN SIEBEN WEISEN GESE-HEN HAT.
WIE BITTE ?!
WIR MÜSSEN IHN UNBE-DINGT FEST-NEHMEN.
ICH WERDE EI-NEN VORWAND BENUTZEN, UM DIE SCHULE ZU VERLASSEN. DU WARTEST BEI DER ROUTE 20, VERSTAN-DEN?
ABER KOMM NICHT ZU MIR, WENN DU MICH SIEHST.
W-WA-RUM DENN NICHT ?!
DU KENNST DOCH DAS ZIEL MEI-NER VER-DECKTEN ERMITT-LUNGEN?
SELBST WENN ICH DEINE UN-TERSTÜTZUNG BENÖTIGEN SOLLTE, ICH BIN ZIVILIST UND DU DER POLIZIST.
VER-GISS DAS NICHT !!
J-JA-WOHL !!

ÄHM... WARUM SOLL ICH EIGENTLICH MITKOMMEN?

NA, WENN ETWAS PASSIERT IST, KANN ES DOCH NICHT SCHADEN, WENN WIR ZU ZWEIT SIND, ODER?

ABER ...

... IN WIRKLICHKEIT...

SCHWUPP

WAAH !!

ALLES GUTE ZUM GEBURTSTAG!
A-ABER DAS KANN ICH NICHT ANNEHMEN!!
WARUM NICHT?
ICH FINDE, WIR STEHEN UNS NICHT NAH GENUG, DASS WIR GESCHENKE AUSTAUSCHEN SOLLTEN!
WIE NAHE MÜSSTEN WIR UNS DENN DAFÜR STEHEN?
D-DAS...
VERSTANDEN. DANN GEBE ICH DIR DAS GESCHENK NICHT JETZT ...
SCHWUPP
PANIK
... SONDERN ERST ...
... NACHDEM ICH DEN URHEBER DIESES STURMS BESIEGT HABE.

VER-
STECK DICH
UNTER DER
BRÜCKE,
WEISSY.
WRUSCH
LEUCHT
WOMM!

ES HAT SICH VERWANDELT!!
DAS IST DAS POKÉMON BOREOS! SEINE KATEGORIE IST WIRBELSTURM!
TEAM PLASMA HAT ES VOR ZWEI JAHREN BEIM ANGRIFF AUF DIE VERANSTALTUNGSHALLE DER POKÉMON-LIGA EINGESETZT…
… ABER… ES HAT EINE NEUE FORM ANGENOMMEN?!

RUMMS
ZACK
DER FORMWANDEL WURDE ERZEUGT DURCH…
… DAS LICHT ÜBER DEN BÄUMEN …!

KALKKLINGE!!

HUSCH

ES IST SCHNELL!!

SEINE SCHNELLIGKEIT IST VERGLEICHBAR MIT DEM GENESECT IN FLUGFORM!

DANN ...

SPRU
SCH
WAMM
HUSCH

DIE MUSCHELSCHALE WURDE MIT WASSERDÜSE BESCHLEUNIGT…!

DENNOCH KONNTE ES AUSWEICHEN!

FLAVUS SOLL IN DIESER GEGEND GESEHEN WORDEN SEIN…

DIE WAHRSCHEINLICHKEIT IST HOCH, DASS ER DAS BOREOS BEFEHLIGT, ABER…

BLAMM
BLAMM
DESHALB HAT DER INSPEKTOR SIE MITGEBRACHT!
DAS BEDEUTET, MEINE AUFGABE IST ES, SIE GENAU ZU BEOBACHTEN!!
SO KANN SICH DER INSPEKTOR GANZ AUF DEN KAMPF KONZENTRIEREN!!
WRUUMMS!!
ZWEIMAL LUFTSCHNITT IN KURZER ABFOLGE!!
WIEDER EIN STARKER GEGNER!!
DANN PROBIERE ICH...
... EINE KOMBINATION MIT ZWEI POKÉMON.
BOFF

WAS ...?!
DAS IST...!!
INSPEKTOR!!
WOHER HAT ER DAS DENN ...?!
DEIN ERSTER EINSATZ.
GEHEN WIR ES AN.
KELDY !!

VOM POKÉMON-VERBAND ZERTIFIZIERTE SPEZIAL-AUSBILDUNGSSTÄTTE FÜR POKÉMON-TRAINER

TRAINERSCHULE

VORSTELLUNG DER SCHULE

SCHUL-AG-AKTIVITÄTEN

AN UNSERER TRAINERSCHULE WERDEN ARBEITSGRUPPEN IN GROSSEM MASSE GEFÖRDERT. ALLE AKTIVITÄTEN WERDEN GEMEINSAM MIT POKÉMON UNTERNOMMEN, SODASS SICH DIE TRAINER AUCH HIER ENTSPRECHEND WEITERENTWICKELN KÖNNEN.

SCHÜLERSTIMME

"ICH BIN DER IKEBANA-AG BEIGETRETEN! NACH DEM UNTERRICHT HABEN WIR IMMER JEDE MENGE SPASS BEIM ARRANGIEREN VON BLUMEN."

NEUE LEHRKRAFT: HERR CHEREN

SCHWARZES BRETT

WILLKOMMEN

BERGSTEIGER-AG

FÜR DEN SOMMER IST EINE KLETTERREISE ZUM KRATERBERG IN SINNOH GEPLANT!

LASST UNS GEMEINSAM BERGE ERKLIMMEN UND UNS AN DER NATUR ERFREUEN!!

ASTRONOMIE-AG

WER UNS BEITRITT, HAT DIE MÖGLICHKEIT, AN EINEM AUSFLUG TEILZUNEHMEN, AUF DEM WIR DIE METEORITENSTRÖME DES STERNBILDS LEUFE BEOBACHTEN!

IKEBANA-AG

JEDER IST WILLKOMMEN!!

LASST UNS ZUSAMMEN GRACIDEA-BLUMEN ARRANGIEREN!

KOMM IN DIE RAD-AG!!

FAHRE SCHNELLER ALS DER WIND!!

ABENTEUER 533
VS. BOREOS [TIERGEISTFORM] II
"DER NEUE SCHWERTKÄMPFER"
DAS 11. KAPITEL,
S2-
W2

KALKKLINGE!!
SCHWUUSCH
SANCTOKLINGE!!
ZISCH
WUPP
WUMMM
ZACK
WUPP

ALS ER GESTERN IM SCHWURHAIN AUFGETAUCHT IST, WAR ICH SEHR ERSCHROCKEN, ABER...

ZACK

WER IST DA?!

!!

WUSCH

DIESER ORT HAT ALSO EINE BESONDERE BEDEUTUNG FÜR DICH, NICHT WAHR?

ALS DU UNS HEUTE NACHMITTAG VERTRIEBEN HAST, HABE ICH IHN GESPÜRT...

... DIESEN WILLEN, UNS NICHT IN DIE NÄHE KOMMEN ZU LASSEN...

DIESE KERBEN ...
SCHNIPP
ZING!

KEINER MACHT SICH ÜBER DIE SCHWERTKERBEN MEINER LEHRER LUSTIG!

DIESE ATTACKE EBEN... STAMMT VON EINER ART KLINGE.

ALLERDINGS BIST DU NICHT DERJENIGE, DER DIE KERBEN AUF DEM FELSEN HINTERLASSEN HAT.

DU BIST NICHT REIF GENUG, UM SOLCH VOLLKOMMENE UND WUNDERSCHÖNE SCHWERTSPUREN ZU ERSCHAFFEN.

VOLL-KOMMEN… WUNDER-SCHÖN…
SCHWIRR
ENT-SCHUL-DIGE BITTE.
ICH HABE DICH PRO-VOZIERT.

DIESE KERBEN WURDEN VON JE-MANDEM GEMACHT, DEN DU VEREHRST. DU WILLST WIE DIE-SES WESEN WER-DEN. DOCH DIESES WESEN IST NICHT MEHR DA.
STIMMT'S ?
WENN DU MAGST …
… HELFE ICH DIR DABEI, DIE ATTACKEN ZU ERLER-NEN.
WAS MEINST DU?

IM GEGEN-ZUG…
… VERLANGE ICH, DASS DU DICH MIR AN-SCHLIESST.
SCHWOOO

WRUSCH
WAAMM

DIE GLEICHE STELLE WIE VORHIN!
JAWOHL!
SEINE BEWEGUNGEN SIND LANGSAM GEWORDEN!
STARR
WOOSCH
HUSCH
HM?
ES IGNORIERT DEN INSPEKTOR?!
WAS HAT DAS ZU BEDEUTEN?!
DAS IST EINFACH ZU ERKLÄREN, LEBELLE.

DAS WAHRE ZIEL VON BOREOS BEFINDET SICH AUF DEM FLUSSUFER DORT. DER KAMPF MIT UNS WAR AUSSERPLAN-MÄSSIG.
BRAUS
A-ABER WAS IST SEIN ZIEL ...?!
WAAAAAH!!
WUPP
DER WEISE ...
... FLAVUS !!
ACHROMAS !!
DAS BOREOS HATTE ICH DOCH SELBST GEFAN-GEN...!!

DU WILLST DER NEUE KÖNIG VON TEAM PLASMA SEIN?!

OHNE MICH!!

DAS WERDE ICH NIEMALS AKZEPTIEREN!!

BOFF

A-ACHROMAS IST HIER?!

NEIN.

ES SIEHT IHM NICHT ÄHNLICH, DASS ER EINEN WAHRSPIEGEL BENUTZT.

VERMUTLICH ÜBERLÄSST ER DAS EINEM DIENER, UND ER SELBST SIEHT IRGENDWIE ZU, OB ALLES NACH WUNSCH VERLÄUFT.

FLATSCH
PLATSCH
PLÄTSCHER
NEIN !!
BLICK
GREIF
HALT !!
EISSTURM!!
WOSCH
URGH ...!
HUIGH

KALKKLINGE!!
NEIN! MIT EINER MU-SCHELSCHALE IST ES NICHT ZU SCHLA-GEN...
SCHWIRRR
ZACK
GRINS
KNISTER
KNISTERKNISTER
KAZINNG

AUCH WENN EISSTURM DAS ZIEL VERFEHLT, WÜRDE DIE MUSCHELSCHALE VON ZWOTTRONIN DIE ATTACKE ABSORBIEREN...
... UND DIE WIRKUNG DES GEFRIERENS ÜBERNEHMEN... WER IST ZU SO ETWAS FÄHIG?
KEUCH
KEUCH

FLAVUS!
ERKENNST DU DIESES MÄDCHEN WIEDER?

NEIN.

ZENTRALE, HIER SCHWARZE NUMMER ZWEI.
HEUTIGE MISSION ABGESCHLOSSEN. FLAVUS IST IN GEWAHRSAM.
BITTE UM UNVERZÜGLICHEN ABTRANSPORT.

LEBELLE, ES GIBT ETWAS, WAS DU FÜR MICH ERLEDIGEN MUSST.
UM WAS GEHT ES?
DORT.

DAS IST DER LASTWAGEN MIT DEN GERÄTEN FÜR DEN CHORWETTBEWERB DER TRAINERSCHULE.
OFFENBAR HAT DER FAHRER BEIM ANBLICK VON BOREOS DAS WEITE GESUCHT.
SOBALD FLAVUS ABGEHOLT WURDE, VERKLEIDEST DU DICH BITTE ALS FAHRER UND FÄHRST ZUR SCHULE.
VERSTANDEN! UND WAS IST MIT DIR, INSPEKTOR?

NUN...
... ICH HABE EIN DATE.
WIE BITTE?!

VAPYDRO CITY
WAS... WO BIN ICH...?
IST DAS FÜR EIN LÄRM ...?
MMH ... WAS ...
UH... UH...
DA DA DA DA DA
WAAAAH

ACH, BIST DU AUFGEWACHT, WEISSY?
WAH!
SORRY, GEFÄLLT DIR DAS NICHT?
KENNST DU DIE?
DIESE SÄNGERIN?
M-MICA...?
GENAU!
TAMA TAMA

DIE MÄDCHEN WOLLTEN, DASS SIE AUF UNSEREM KULTURFEST AUFTRITT, WEISST DU NOCH?
DA FÜR HEUTE EIN KONZERT ANGESETZT WAR, DACHTE ICH, WIR SOLLTEN SIE DIREKT ANSPRECHEN.

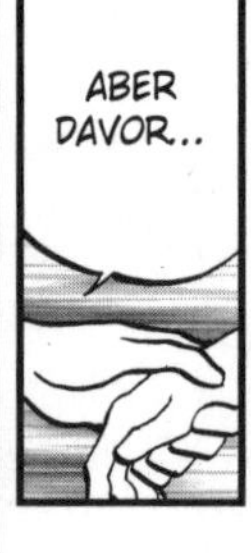
ABER DAVOR...

... WOLLEN WIR UNS VERGNÜGEN!!

WAS...
WAS IST HIER LOS...?!

OH NEIN... DAS SOLLTE ICH BESSER ZURÜCK-GEBEN.
ABER DAS GE-SCHENK-PAPIER IST ZERRIS-SEN...

NANU? DAS IST...
TELESKOP

...

HAT ER DAS ETWA...
... EXTRA FÜR MICH AUSGE-SUCHT?
MEIN HOBBY IST DAS BEOBACH-TEN VON STERNEN.

CHOR-WETTBEWERB

DAS IST SO AUFRE-GEND...
WO MEIN BRUDER WOHL IST?

DAS 11. KAPITEL,
S2-W2
ABENTEUER 534 VS. SESOKITZ
"CHOR-WETTBEWERB"

IM 2. TRIMESTER, ANFANG OKTOBER, FINDET DER...
CHOR-WETTBEWERB
... HERBST-CHOR-WETTBEWERB STATT!!

NATÜRLICH HANDELT ES SICH NICHT UM GEWÖHNLICHE CHÖRE...
... DA HIER TRAINER ZUSAMMEN MIT IHREN POKÉMON GEGENEINANDER ANTRETEN!!

WÄHREND DIE TRAINER SINGEN...
... GREIFEN DIE POKÉMON DIE GEGNERISCHEN POKÉMON AN...
... INDEM SIE GERÄUSCHBASIERTE ATTACKEN WIE GESANG, KANON ODER WIDERHALL AUSFÜHREN.

DER CHOR-WETTBEWERB IST AUCH ALS "CHOR-KAMPF" BEKANNT UND BIETET SPEKTAKULÄRE DUELLE!!
DAS IST JA SUPER-INTERESSANT!!

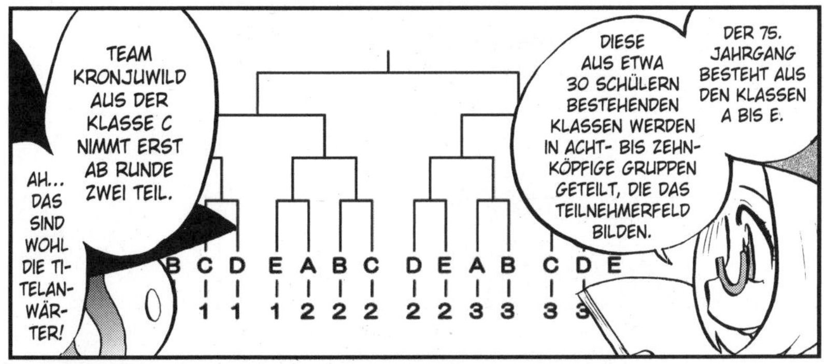
DER 75. JAHRGANG BESTEHT AUS DEN KLASSEN A BIS E.
DIESE AUS ETWA 30 SCHÜLERN BESTEHENDEN KLASSEN WERDEN IN ACHT- BIS ZEHNKÖPFIGE GRUPPEN GETEILT, DIE DAS TEILNEHMERFELD BILDEN.
TEAM KRONJUWILD AUS DER KLASSE C NIMMT ERST AB RUNDE ZWEI TEIL.
AH... DAS SIND WOHL DIE TITELANWÄRTER!
B C D E A B C D E A B C D E
1 1 1 2 2 2 2 2 3 3 3 3

ES WÄRE SCHÖN, WENN EIN TEAM AUS CHERENS KLASSE... KLASSE E GEWINNEN KÖNNTE...

TEAM PLAUDAGEI AUS DER KLASSE B WIRD SIEGEN !!

WIR WERDEN UNS AUF JEDEN FALL DEN TITEL HOLEN !!
ZUCK

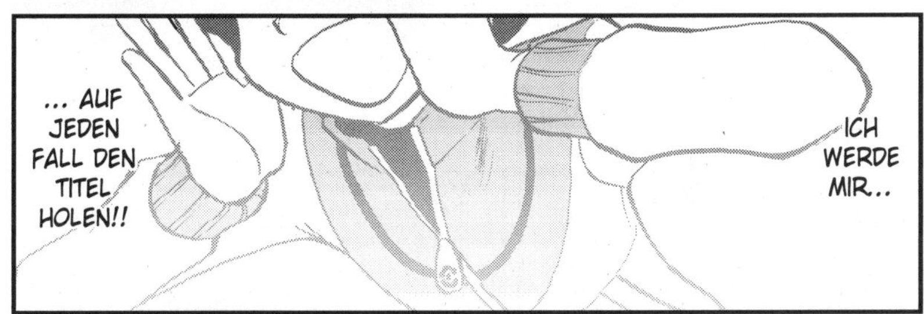
ICH WERDE MIR...
... AUF JEDEN FALL DEN TITEL HOLEN!!

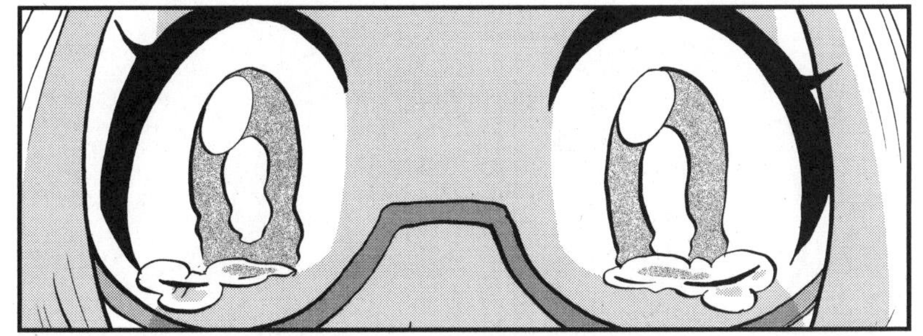

ÄHM...

WISSEN SIE, WO DIE SCHÜLER DER KLASSE E SIND?

OH... ICH KENN MICH HIER NICHT SO GUT AUS...

ACH SO. TROTZDEM, VIELEN DANK.

WARTE. VIELLEICHT SEHE ICH JEMANDEN, DER DIR WEITERHELFEN KANN...

OH!!

HACH… ICH HAB JA SO WAS VON KEINE LUST.
ICH KANN NICHT SINGEN, ALSO MUSS ICH ZUSEHEN, DASS ICH DEN ANDEREN NICHT ZUR LAST FALLE…

RUMMS
HEY, KLEINER!! DU BIST DOCH IN CHERENS KLASSE, ODER NICHT?!

S-SIE SIND DOCH DIE MIT DEN POKÉDEX …?
DIESES MÄDCHEN SUCHT NACH DER KLASSE E, FÜHR SIE DOCH BITTE HIN, JA?
Z-ZU MEINER KLASSE?
WEN SUCHST DU DENN GENAU?

MEINEN BRUDER…
ER HEISST MATISSE. KENNEN SIE IHN?

SSSCH…
SCHNAAAAAAUUUUB?!

IM 1. DUELL DER 1. RUNDE…
… TRITT TEAM WABLU AUS KLASSE A…
AULA
… GEGEN TEAM SCHALLQUAP AUS KLASSE B AN!!

Ein sanfter Wind zu euch weht...! ♪
... und der Kanon euch den Kopf verdreht! ♪
Ein sanfter Wind zu euch weht...! ♪
... und der Kanon euch den Kopf verdreht! ♪

Lasst sie nun spüren unseren Widerhall...! ♪
Lalala... so sie sich verkriechen in den Pokéball...! ♪

Das Team der Klasse B hat das Lied "Lasst sie nun spüren" geradezu perfekt dargeboten.
Im Liedtext haben sie ihre Pokémon angewiesen, die Attacke Widerhall auszuführen...

OH?!

... während das Team der Klasse A mit dem Lied "Ein sanfter Wind" und der wunderschön von Wablu eingesetzten Attacke Kanon gekontert hat!
So, beide Teams haben jeweils eine Strophe gesungen, aber wie haben sich die Pokémon geschlagen?

DURCH KANON SIND BEREITS ZWEI SCHALLQUAP KAMPFUNFÄHIG!!

DIE WABLU HABEN ALLE DIE ERSTE RUNDE SCHADLOS ÜBERSTANDEN!!

LALALA... SO SIE SICH VERKRIECHEN...! ♪

... UND DER KANON EUCH DEN KOPF VERDREHT! ♪
... UND DER KANON EUCH DEN KOPF VERDREHT! ♪

BEIDE GRUPPEN HABEN IHREN GESANG BEENDET!
WIR WERDEN NUN DEN GESANG DER TRAINER UND DIE ATTACKEN DER POKÉMON HINSICHTLICH DER TECHNIK UND GENAUIGKEIT BEWERTEN!
IN DER JURY DÜRFEN WIR HEUTE ALS BESONDEREN GAST...
... DIE ARENALEITERIN VON VAPYDRO CITY...
... MICA BEGRÜSSEN!!
MICA, VERKÜNDEN SIE BITTE DAS RESULTAT DES ERSTEN DUELLS!!

DER GEWINNER DES ERSTEN DUELLS DER ERSTEN RUNDE IST...
... TEAM WABLU AUS DER KLASSE A!!
WAAAAAAH

D-DAS IST SIE JA WIRKLICH... MICA IST WIRKLICH HIER...!
EINE PROFESSIONELLE SÄNGERIN SITZT IN DER JURY VON EINEM CHORWETTBEWERB?!
WEISSY, IST ES WAHR, DASS DU UND SCHWARZY SIE EINGELADEN HABT?
J-JA.

AUF EINEM KULTURFEST AUFTRETEN?
IN DER JURY VON EINEM CHORWETTBEWERB SITZEN?
KLARO, ICH MACH ALLES MIT!
WIE BITTE?
ICH VERSTEH ES JA AUCH NICHT, ABER EINES FÜHRTE ZUM NÄCHSTEN, UND DANN HATTE SIE AUCH SCHON ZUGESAGT...
ACH?
ER HAT MITBEKOMMEN, DASS WIR MICA GERNE ZUM KULTURFEST EINLADEN WÜRDEN...
... UND NÄGEL MIT KÖPFEN GEMACHT!! UNGLAUBLICH!!
SEHR STARK VON SCHWARZY!

ES GIBT DOCH KEINEN GRUND, ES ZU BEHALTEN, ODER?
ICH SOLLTE DAS TELESKOP DOCH ZURÜCKGEBEN, NICHT?

ER IST ALSO NICHT NUR ZU MIR SO.

ER MACHT ALSO IMMER DINGE FÜR ANDERE...
ACH SO...

HEY!!

WO BLEIBEN DIE JUNGS?!
DAS ZWEITE DUELL HAT BEGONNEN! WIR SIND ALS NÄCHSTES DRAN!

T-TUT MIR LEID...

SORRY!
VERDAMMT, IHR SCHLAFMÜTZEN! WO HABT IHR EUCH RUMGETRIEBEN?!
HIER, ZIEHT DIESE SACHEN AN! SCHNELL!

HNNGG …
MATISSE, SIE KANN DICH HÖREN.
IHR…

AUWEIA! KANN ES SEIN, DASS DIE WELT UNTERGEHT?!
E-ES TUT IHM LEID?! MATISSE ENTSCHULDIGT SICH?!
ICH HAB ANGST !!

WAS?! MATISSE' SCHWESTER?!
WER IST DAS?!

B-BITTE…
WAS?!
N-NA WARTET… EUCH WERDE ICH…
NA GUT. WIR WERDEN DICH WIE EINEN MUSTERSCHÜLER MIT EINWANDFREIEM BENEHMEN BEHANDELN… WENN DU "BITTE" SAGST.
IST JA LUSTIG!!
NA, JETZT IST ALLES KLAR! VOR SEINER SCHWESTER WILL ER DEN FREUNDLICHEN JUNGEN SPIELEN!!

SCH-SCH-SCHNAUUUUB !!
DU HAST DICH DOCH NICHT ETWA IN MEINE SCHWESTER…?!
SCHÜTTEL
SCHÜTTEL

KAPIERST DU'S NICHT? SIEH SIE DIR DOCH AN. SIE IST IM GEGENSATZ ZU MATISSE RICHTIG NIEDLICH.
WARUM MATISSE SICH SO VERHÄLT, IST JA NUN KLAR. ABER WAS IST MIT LEO LOS?

MATISSE GELANG ES, SEIN TEMPERAMENT IM ZAUM ZU HALTEN. UND BEI LEO FÜHRTE DIE NERVOSITÄT DAZU, DASS ER PLÖTZLICH EINE WUNDERSCHÖNE GESANGSSTIMME BESASS.

DIE STIMMEN DIESER BEIDEN, DIE SICH SO SEHR VOM JEWEILIGEN NORMALZUSTAND UNTERSCHIEDEN, SOLLTEN DAS TEAM PUMMELUFF AUS DER KLASSE E VON EINEM SIEG ZUM NÄCHSTEN FÜHREN!

SCHLIESSLICH...
SO, NUN FINDET DAS FINALE STATT!!
DER TITELFAVORIT, TEAM KRONJUWILD AUS DER KLASSE C, TRITT GEGEN TEAM PUMMELUFF AUS DER KLASSE E AN!!

DIE MIT EINER GERADEZU PERFEKTEN HARMONIE AUSGEFÜHRTE ATTACKE GRASFLÖTE VON TEAM KRONJUWILD VERMAG NICHT NUR GEGNERISCHE TEAMS, SONDERN AUCH DAS PUBLIKUM SOWIE DIE JURY IN SCHLAF ZU VERSETZEN!!
DEMGEGENÜBER TEAM PUMMELUFF, DAS SICH ALS AUSSENSEITER UNTER DER LEITUNG VON HERRN CHEREN SEINEN WEG BIS INS FINALE GEBAHNT HAT!!

WIR HABEN UNS BISHER IMMER NUR AUF DIE ATTACKE GESANG VERLASSEN...
... ABER GEGEN DIE WERDEN WIR WOHL KAUM MIT DERSELBEN STRATEGIE ANKOMMEN.

VERZEIHUNG, DAS TEAM PUMMELUFF WIRD ZUM NÄCHSTEN DUELL RHYTHMUSINSTRUMENTE HINZUNEHMEN!

FÜR DIE MUSIKALISCHE BEGLEITUNG SIND NEBEN KLAVIER ODER GITARRE RHYTHMISCHE INSTRUMENTE WIE TRIANGEL, KASTAGNETTE ODER TAMBOURIN ZUGELASSEN...
... ABER.. NANU? SOWEIT ICH SEHEN KANN, HALTEN SIE KEINE INSTRUMENTE IN IHREN HÄNDEN. WAS HAT DAS ZU BEDEUTEN ...?

BEGLEITET SIE WERDEN VOM KLANG DES GRA-SES…! ♪
FRÜHLING, SOMMER, HERBST UND WINTER VER-GEHEN…! ♪

ICH SCHAFF DAS NICHT… ICH SCHLAF GLEICH EIN…
ZITTER
D-DIE SIND NICHT UMSONST TITEL-ANWÄR-TER…
UH…

KLING
WIRD TEAM PUMMELUFF DIE AUGEN AUFHALTEN KÖNNEN…?
WERDE ICH SIE AUFHALTEN KÖN-NEN… HMM…?
ZZZZZ
TEAM KRONJUWILD HAT SOEBEN DIE ERSTE STROPHE FERTIGGE-SUNGEN… GÄHN.

KLACK
KLACK
KLACKER
KLACKER

ICH WILL, DASS DU ZU MIR SIEHST…! ♪
KLACK KLACK KLACK KLACK

WOW, KLASSE!! EINE KASTAGNETTE AUS MUSCHELSCHALEN!!
SIE BLÄST NICHT NUR IHRE SCHLÄFRIGKEIT WEG…
… SONDERN VERSTÄRKT DAS RHYTHMUSGEFÜHL UND VERLEIHT IHNEN DYNAMIK!

FRÜHLING, SOMMER, HERBST UND WINTER VERGEHEN…! ♪
LASST UNS NOCH MAL NEU BEGINNEN…! ♪ LASST UNS WIEDER VON JENEM MUT TRÄUMEN…! ♪

WAS FÜR EIN SCHLAGABTAUSCH!!
GRASFLÖTE GEGEN GESANG!!
GUT, MARTHA, BEI DER DRITTEN STROPHE WEIST DU DEINE PUMMELUFF AN…
JA!
LASST UNS NOCH MAL NEU BEGINNEN…! ♪
SCHWING

WOSCH!!

D-DAS IST JA UNGLAUBLICH!
IHRE ATTACKE SCHALLWELLE HAT SOGAR DAS KLAVIER UMGEWORFEN!!

TEAM KRONJUWILD IST KAMPFUNFÄHIG!!

DAS DUELL IST ENTSCHIEDEN!! TEAM PUMMELUFF HAT DEN TITEL GEWONNEN!!
TEAM PUMMELUFF AUS DER KLASSE E IST DER SIEGER!!

WAHNSINN! WIR FAHREN NACH STRATOS CITY!!

JAAAAA!!

WAS?! NUR TEAM PUMMELUFF?! DAS IST UNFAIR!!

HERR CHEREN, WIR DÜRFEN DOCH MITFAHREN, UM SIE ANZUFEUERN, ODER NICHT?!

ÄH, I-ICH HABE DAS GERADE AUCH ERST ERFAHREN...

KEIN PROBLEM! DIE GESAMTE KLASSE E IST EINGELADEN!!

A-ABER ICH MUSS DOCH ERST MIT MEINEN KOLLEGEN ÜBER DIE FAHRTKOSTEN UND DIE ORGANISATION SPRECHEN...

ACH, KEINE SORGE!! MEIN PAPA WIRD DAS SCHON IRGENDWIE HINBEKOMMEN!

SO KANN ICH MICH ENDLICH BEI EUCH BE-DANKEN!!
BEDAN-KEN?
HUSCH
HABEN DIE BEIDEN WAS FÜR MICA GE-TAN?

MEIN PAPA IST DER KAPITÄN VON EINEM SCHIFF, DAS ZWISCHEN VAPYDRO UND STRATOS CITY VERKEHRT, AUS-SERDEM HAT ER GUTE KONTAKTE ZU REISEFIR-MEN.
DARÜBER HINAUS WIRD UNS DIE AGEN-TUR HELFEN, BEI DER MEINE BAND UNTER VERTRAG STEHT!

GUT...!!

VAPYDRO CITY

DAS IST MEIN PAPA!
ICH BIN MICAS PAPA!
DAS DA SIND SCHWARZY UND WEISSY!!
OOOOOOH!!
OH! OH! OH!
ICH MÖCHTE MICH FÜR IHRE MÜHE BEDANKEN.
ACH, DAS IST DOCH ALLES KEIN PROBLEM! SO, JETZT KOMMT AN BORD!
HIER, AUCH DU ZWOTTRONIN KID UND TARNPIGNON GIRL! AN BORD MIT EUCH!
BROOOOO
RAUSCH
CHA-CHA-CHAAA-CHA-CHA-CHAAA-CHA-CHA! ♪
HIER LEBELLE!
ICH BIN'S.
INSPEKTOR!
DIE TARNUNG ALS SCHULPROJEKT FUNKTIONIERT.

SOBALD WIR IN STRATOS CITY SIND, TREFFEN WIR UNS IN DER KANALISATION.
WAS DENN FÜR EINE KANALISATION?

DER EINGANG IST BEI DEM PIER, IN DER NÄHE DER HIMMELSPFEILBRÜCKE.
HALTEN SICH DORT WEITERE DER SIEBEN WEISEN, DIE IN STRATOS CITY UNTERGETAUCHT SEIN SOLLEN, VERSTECKT?
JA, NACH FLAVUS WERDEN WIR DORT ZWEI WEITERE WEISE FINDEN.
WAS?! GLEICH ZWEI ...?!

GENAU.
AQUILUS UND VIRIDUS.
ICH WERDE SIE WÄHREND UNSERES AUFENTHALTS IN GEWAHRSAM NEHMEN!!

VOM POKÉMON-VERBAND ZERTIFIZIERTE SPEZIALAUSBILDUNGSSTÄTTE FÜR POKÉMON-TRAINER

TRAINERSCHULE

VORSTELLUNG DER SCHULE

AUSSCHÜSSE

IN DER TRAINERSCHULE SOLLEN SICH DIE SCHÜLER AUCH DURCH DIE AKTIVITÄTEN IN VERSCHIEDENEN AUSSCHÜSSEN IHR BEWUSSTSEIN ALS TRAINER SCHÄRFEN. SO ERHÄLT JEDER SCHÜLER EINEN BESTIMMTEN ZUSTÄNDIGKEITSBEREICH, WAS ZU EINEM GRÖSSEREN VERANTWORTUNGSGEFÜHL UND EINER WEITERENTWICKLUNG IHRER PERSÖNLICHKEIT FÜHRT.

SCHÜLERSTIMME

"SEIT ICH IM GESUNDHEITSAUSSCHUSS BIN, INTERESSIERE ICH MICH VIEL MEHR FÜR DIE GESUNDHEIT VON POKÉMON!"

NEUE LEHRKRAFT: HERR CHEREN

AUSSCHÜSSE UND BESCHREIBUNG DER JEWEILIGEN AKTIVITÄTEN

Ausschuss	Aktivitäten
VERSCHÖNERUNGS- UND REINIGUNGSAUSSCHUSS (4 MITGLIEDER)	• MIT UNRATÜTOX UND DEPONITOX DAS SCHULGELÄNDE REINIGEN (SPEZIELLE SCHULUNG DURCH RASMUS) • TEILNAHME AN KONFERENZEN ZUM THEMA UMWELT
BIBLIOTHEKSAUSSCHUSS (4 MITGLIEDER)	• BÜCHERAUSGABE UND -RÜCKNAHME IN DER SCHULBIBLIOTHEK (ERDGESCHOSS DES ZWEITEN SCHULGEBÄUDES) • AUFRUF ZU BÜCHERSPENDEN FÜR DIE VERGRÖSSERUNG DES BUCHBESTANDS (MIT SCHWERPUNKT "POKÉMON-FREUND")
KANTINENAUSSCHUSS (4 MITGLIEDER)	• AUSARBEITUNG VON GESUNDEN ESSENSMENÜS EINSCHLIESSLICH POKÉMON-NAHRUNG (SPEZIELLE SCHULUNG DURCH MARLEEN) • EINSAMMELN DES ESSENSGELDS (AM ZWEITEN DIENSTAG JEDEN MONATS)
GESUNDHEITSAUSSCHUSS (6 MITGLIEDER)	• VORBEREITUNG DER ALLGEMEINEN GESUNDHEITSUNTERSUCHUNG (ZU JEDEM TRIMESTER) • KRANKENZIMMERDIENST (SPEZIELLE SCHULUNG DURCH WINFRIED)
SPORTAUSSCHUSS	• VORBEREITUNG VON POKÉMON-KAMPF-TURNIEREN AUF DEM SCHULHOF

DAS 11. KAPITEL,
S2-
W2
ABENTEUER 535 VS. MEGALON
"EIN ZORNIGER JUNGE"

BRUU
BRUU
BRUU

ENT-SCHUL-DIGE, MATISSE.
DU BIST JETZT SAUER.. ODER?
ICH? ICH BIN NICHT SAUER!! ICH BIN NUR.. ÜBER-RASCHT, DASS DU ALS BLINDER PASSAGIER MITGEKOM-MEN BIST.

ANDERERSEITS FREUE ICH MICH, DASS DU SO FIT BIST, UM SOLCHE SACHEN ZU MACHEN...
ALS DU IN DIE TRAI-NERSCHULE KAMST, HATTEST DU DICH IMMER JEDEN TAG BEI MIR GE-MELDET...
... ABER DANN PLÖTZLICH ÜBER-HAUPT NICHT MEHR. ICH HABE MIR SORGEN GEMACHT ...

BEI DEM CHOR-WETTBE-WERB KONNTEN WIR UNS AUCH NICHT UNTER-HALTEN...
S-SOR-RY...

ES SIND FÜNF JAHRE VERGANGEN, UND JETZT IST SIE IN DER LAGE, SELBSTSTÄNDIG ZU HANDELN.

TJA, WEISST DU, AUF DIESER SCHULE GIBT ES SO VIELE FÄCHER, ZUDEM MÜSSEN DIE SCHÜLER DIESE GANZEN VERANSTALTUNGEN SELBST ORGANISIEREN. ICH HATTE ZIEMLICH VIEL UM DIE OHREN...

WOLKENKRATZER!! SO BEEINDRUCKEND!!

IN ECHT SEHE ICH DIE ZUM ERSTEN MAL!!

KLACK

OJE! ICH MUSS EINGESCHLAFEN SEIN! OFFENBAR SIND WIR SCHON IN STRATOS CITY ANGEKOMMEN!

M-MATISSE?

?

WUSCH

KIAH ...!
EIN KAPUNO !!
DONK
SCHNAPP!
!!
D-D-DU BIST DOCH MATISSE' SCHWESTER!!
HUCH !!
SCHWESTER? DAS HEISST...
... DU BIST EIN MÄDCHEN!!
I-ICH HALTE DIE HAND EINES MÄDCHENS?!

N-NEIN, AUF KEINEN FALL LOSLASSEN!! (REDET ZU SICH SELBST)

WENN DU LOSLÄSST, WIRD DAS SCHLIMM ENDEN!! (REDET ZU SICH SELBST)

HNN ...
HA!

KEUCH
KEUCH
KEUCH
KEUCH

E-ENTSCHULDIGE, DASS ICH DIR EINEN SCHRECKEN EINGEJAGT HABE…
NEIN, ES WAR MEINE SCHULD …

EIN KAPUNO VON EINEM BÖSEN MANN HAT MIR FRÜHER EINMAL ANGST GEMACHT…
DEIN KAPUNO KANN JA NICHTS DAFÜR.

KAPUNO, BLEIB HINTER MIR UND VERBIRG DEIN GESICHT, OKAY?

I-ICH BIN DER MEINUNG, DASS ES KEINE BÖSEN POKÉMON GIBT.

WENN EIN POKÉMON ETWAS BÖSES MACHT…
… DANN IST ES SEIN TRAINER, DER BÖSE IST.
DAS KAPUNO, DAS DIR ANGST GEMACHT HAT, HÄTTE DAS SICHER NICHT GETAN, WENN SEIN TRAINER GUT GEWESEN WÄRE…

LEO...
MATISSE!
M-MATISSE!!

...

DARF ICH DEIN KAPUNO MAL STREICHELN?
NATÜRLICH. ES FREUT SICH, WENN DU ES HIER KRAULST.

BITTE! ERZÄHL NIEMANDEM, DASS MEINE SCHWESTER MITGEKOMMEN IST!!
ICH FLEHE DICH AN!!

WUSCH
WAH!!

DAS IST DOCH LOGISCH!!
DU KANNST AUF MICH ZÄHLEN!!

MATISSE...

NOCHMALS, VIELEN DANK.
ÜBERHAUPT KEIN PROBLEM!
SCHLIESSLICH SIND IN IHRER KLASSE SCHÜLER, DENEN ICH ZU DANK VERPFLICHTET BIN!
MACHEN SIE SICH ALSO KEINE GEDANKEN!
SCHLEICH

ALSO, MICA, ICH KOMME IN EINER WOCHE ZURÜCK, UM EUCH ABZUHOLEN, JA?
VERSTANDEN!! FAHR VORSICHTIG, PAPA!!

MICA, WAS MEINT DENN DEIN VATER DAMIT, DASS ER SCHWARZY UND WEISSY DANKBAR IST?
ACH ...

MEIN PAPA WOLLTE ALS JUNGER MANN EIN FILMSTAR WERDEN.

ALS ER DIESES JAHR IN POKÉWOOD EINEN FILM DREHTE, WURDE SEINE ALTE LEIDENSCHAFT NEU ENTFACHT.

ER MEINTE: "MICA! ICH WERDE DOCH MIT DER SEEFAHREREI AUFHÖREN UND EIN FILMSTAR WERDEN!"
SEITDEM HATTE ER SEINE ARBEIT VERNACHLÄSSIGT UND FAST DIE GANZE ZEIT IN POKÉWOOD VERBRACHT.

DOCH LETZTEN MONAT SAH ER DEN SO BELIEBTEN FILM "ZWOTTRONIN KID & TARNPIGNON GIRL"...

... UND ER SAH EIN, DASS ES VIEL TALENTIERTERE SCHAUSPIELER GIBT. DARAUFHIN BESCHLOSS ER, DIE FILMKARRIERE AUFZUGEBEN.

IHR BEIDE HABT AUF DIESE WEISE UNSEREN FAMILIENFRIEDEN GERETTET, DESHALB SIND WIR EUCH SO DANKBAR.

ÄH... DER FILM IST BELIEBT?
HAST DU DAS NICHT GEWUSST? NACHDEM ER IN POKÉWOOD AUFGEFÜHRT WURDE, IST ER NUN SOGAR ALS VIDEO ERHÄLTLICH.

J-JETZT FÄLLT ES MIR WIEDER EIN. ICH HATTE JA EINEN VERTRAG ODER SO WAS UNTERSCHRIEBEN.
ICH WOLLTE, DASS N MICH FINDET...
HM? MOMENT !

DAS HEISST JA...
... DASS N VIELLEICHT SIEHT...
... WAS ICH DA FÜR ALBERNE SACHEN GEMACHT HABE...

NEIN!
ES IST NICHT SO, WIE ES ERSCHEINT, N!!
DAS IST ECHT TOLL, WEISSY.
SEI DOCH NICHT SO VERLE-GEN!
KLAR, ES IST ETWAS BESONDERES, DASS MICA DIR DANKBAR IST, ABER...
NEIN! DARUM GEHT ES DOCH GAR NICHT!!

GUT. FÜR DIE NÄCHSTEN ZWEI STUNDEN HABT IHR FREI.
ABER DENKT DRAN, DASS IHR EUCH UM 17 UHR AUF DEM PRIME PIER EINFINDET!

WO WOLLEN WIR HIN-GEHEN?
ICH WOLLTE DEN SPITZ-NAMEN FÜR MEIN POKÉMON VON EINEM WAHRSAGER BEGUTACHTEN LASSEN.
EIN STÜCK ODER GLEICH EIN GANZES DUTZEND... DAS IST HIER DIE FRAGE.

HERR CHEREN, KÖNNTEN SIE UNS DIE POKÉMON-ARENA VON STRATOS CITY ZEI-GEN?!
DA WILL ICH AUCH MIT!
WAS MÖCHTEST DU DIR ANSEHEN, SCHWARZY ?
ACH, ICH DENKE, ICH GENIESSE DIE MEERES-BRISE NOCH ETWAS.
OH, WIE COOL!

WIR BRINGEN DIR EIN STRATOS-EIS MIT!

H-HEY! IST ALLES IN ORD-NUNG MIT IHNEN ?!

WAS IST LOS, MICA? WER IST DAS?
ER IST EINER DER VERANSTALTER DES CHOR-TURNIERS!
ICH HATTE MIT IHM ABGESPROCHEN, DASS ER ZUM PIER KOMMT, WENN DAS SCHIFF ANLEGT…
… ABER ER WAR NICHT DA. UND JETZT HABE ICH IHN GEFUNDEN… IN DIESEM ZUSTAND …!!

I-ICH HABE EINE SEITENGASSE GENOMMEN… ZWEI MASKIERTE HABEN MICH ÜBERFALLEN…
SIE NAHMEN MIR MEIN LAUKAPS WEG… UND SIND IN DEN UNTERGRUND GEFLÜCHTET…!

"WIR BE-FREIEN ES"...

...SAGTEN SIE...

DIESE SCHLEIMARTIGE FLÜSSIGKEIT STAMMT VON EINEM SLEIMOK. DER MANN WURDE MIT EINER ATTACKE VOM TYP GIFT ANGEGRIFFEN.

ES GIBT EINEN ORT, WO SICH DIESE TYPEN SAMMELN, DIE SLEIMOK UND SLEIMA EINSETZEN.
WO?

IN DER KANALISATION…
… DEREN EINGANG SICH AUF DEM THUMB PIER BEFINDET.

ICH WERDE DAS LAUKAPS ZURÜCKHOLEN!
AUF, ROLLUM!
ICH KOMM MIT UND HELFE!!

VIEL-
LEICHT…
… IST DORT JEMAND, DER WEISS, WO SICH N AUFHÄLT.

DANN KOMME ICH AUCH MIT.
WIR WISSEN JA NICHT, MIT WIE VIELEN WIR ES DA ZU TUN HABEN. ES IST BESSER, WENN WIR GENUG LEUTE SIND.
ICH KOMM AUCH MIT.

DANKE.
LINN, MARTHA UND SONJA!
KÜMMERT EUCH UM DEN MANN, BIS DER KRANKEN-WAGEN EINTRIFFT, JA?
VERSTANDEN!

ENDLICH HABE ICH SIE AUFGE-SPÜRT…
TEAM PLASMA!

N!
N!!

ZIEMLICH VIELE STÖREN-FRIEDE.

OH!!
WAS IST DENN, MICA?

DAS SCHLOSS WURDE ZERSTÖRT.
DIE, VON DENEN DU VORHIN GESPROCHEN HAST?
NEIN. DIE, DIE ICH MEINTE, ARBEITEN IN DER KANALISATION. DAS KÖNNEN SIE UNMÖGLICH GEWESEN SEIN!

DAS HEISST ALSO ...
... DASS JEMAND ANDERES DAS SCHLOSS ZERSTÖRT HAT.

IN DIESER JAHRESZEIT IST DER WASSERPEGEL NIEDRIG.
ES GIBT HIER ALSO VIELE MÖGLICHE VERSTECKE. HALTET EURE AUGEN OFFEN.

SAG MAL, WEISSY ...
HM?

WARUM MÖCHTEST DU EIGENTLICH MICA HELFEN?
D-DAS IST, WEIL ...

WROSCH WROSCH WROSCH

DAM DAM DAM DAM

DAM DAM DAM

DIESE NEUEN UNIFORMEN… EIN PAAR VON IHNEN HABE ICH BEIM KAMPF MIT BOREOS GESEHEN!
UND …

… AQUILUS …
… SOWIE VIRIDUS !

AUF DIESEN AUGENBLICK HABE ICH GEWARTET…

FÜNF JAHRE …
… HABE ICH AUF IHN GEWARTET.

ICH WERDE EUCH...
... MEINEN ZORN SPÜREN LAS-SEN.
BOFFF
MATISSE!!
FEUERODEM!!
FAUCH
WOSCH ZUMM! WOSCH
MIST!
KIAH...!
STAPF

KEUCH …
VERFLUCHT!

SCHWARZY UND DIE NEUE…

ICH HABE SIE AUS DEN AUGEN VERLOREN. OB SIE OKAY SIND?

DAS IST JETZT NICHT WICHTIG! ICH MUSS WEITERKÄMPFEN!

ICH MUSS MICH AUF DEN KAMPF MIT TEAM PLASMA KONZENTRIEREN!

KEINE BEWEGUNG.

MIST! ICH HAB NICHT AUF MEINEN RÜCKEN GEACHTET!!

DU BIST DOCH MATISSE VON DER TRAINERSCHULE? MACH DIR KEINE SORGEN.

ICH BIN VON DER POLIZEI.
MATISSE, SAG MIR BITTE, WAS DU WEISST.

VERLASSENER TIEFKÜHLCONTAINER
ALSO WAREN SIE DOCH HIER.

MEINE KLEINEN HELFER MUSSTEN ZIEMLICH LANGE SUCHEN.
WARUM HABEN SIE NICHT AUF MEINEN BEFEHL REAGIERT UND SIND ZU MIR GEKOMMEN?

HABEN SIE ETWA AUS LAUTER ANGST VERSUCHT ZU FLIEHEN?
VIOLACEUS ?

LANGE NICHT GESEHEN, KAPUZENMANN.
NEIN, SIE HEISSEN JA JETZT ACHROMAS.

ACH, SOLCHE KLEINIGKEITEN INTERESSIEREN NICHT.
ICH BIN NUR WEGEN EINER SACHE HIER.
ERZÄHLEN SIE MIR DARÜBER.
WORÜBER ?

WAS WISSEN SIE…

… ÜBER DAS DRITTE POKÉMON VOM TYP DRACHE…

… KYUREM?

TRAINERSCHULE

VOM POKÉMON-VERBAND ZERTIFIZIERTE SPEZIAL-AUSBILDUNGSSTÄTTE FÜR POKÉMON-TRAINER

VORSTELLUNG DER SCHULE

SCHÜLERVERTRETUNG

DIE SCHÜLERVERTRETUNG WIRD JEDES JAHR IM MAI GEWÄHLT, WOBEI ALLE SCHÜLER WAHLBERECHTIGT SIND. VOR ALLEM FÜR DEN POSTEN DES SCHÜLERSPRECHERS WIRD VORAUSGESETZT, DASS DER BETREFFENDE KANDIDAT FREUNDSCHAFTLICHE BEZIEHUNGEN ZU POKÉMON UNTERHÄLT. DIE WAHL WIRD AUF UNPARTEIISCHE WEISE DURCHGEFÜHRT.

SCHÜLERSTIMME

"ICH GLAUBE, DASS DIE SCHULE SO FRIEDLICH IST, LIEGT AN DER HERVORRAGENDEN ARBEIT DER SCHÜLERVERTRETUNG!"

NEUE LEHRKRAFT: HERR CHEREN

WAHL DER SCHÜLERVERTRETUNG

DIE SCHÜLERVERTRETUNG BESTEHT AUS DEM SCHÜLERSPRECHER, DEM STELLVERTRETER DES SCHÜLERSPRECHERS, DEM SCHATZMEISTER UND DEM SEKRETÄR, DIE JEWEILS GEWÄHLT WERDEN. DIE AMTSDAUER IST AUF EIN JAHR BESCHRÄNKT.

ANMELDUNG ZUR KANDIDATUR	1. BIS 7. MAI	
WAHLKAMPF	7. BIS 14. MAI	
WAHLTERMIN	15. MAI	

* WAHLKAMPFPOSTER DÜRFEN NUR IN FESTGELEGTER ANZAHL AN DAFÜR VORGESEHENEN STELLEN ANGEBRACHT WERDEN.
* DIE KANDIDATEN GEBEN IHR PROGRAMM VOR DER WAHL ENTWEDER SCHRIFTLICH ODER IN REDEN BEKANNT.

DAS 11. KAPITEL,
S2-W2
ABENTEUER 536
VS. KYUREM I
"CONTAINER-KAMPF"

SO, JETZT ERZÄHLEN SIE MIR ALLES.
ALLES, WAS SIE ÜBER KYUREM...
... DEN GEFRIEREN-DEN DRACHEN WISSEN.

ALL DIESE HANDLUNGEN...
... STANDEN IN ZUSAMMENHANG MIT KYUREM.
SIE HATTEN SICH DIE GANZE ZEIT AUF DEN TAG VORBEREITET, AN DEM SIE KYUREM IN IHREN BESITZ UND UNTER IHRE KONTROLLE BRINGEN WÜRDEN.
HAB ICH RECHT ?!

...

HEHEHE...
ZUR HÄLFTE VIELLEICHT.

HÄ?
MEINE LEIDENSCHAFT FÜR KYUREM KANN ICH BESTÄTIGEN.

ABER ICH HABE DIESE DINGE NICHT GEMACHT, UM KYUREM IN MEINEN BESITZ ZU BRINGEN.

DER GRUND, WESHALB MICH KYUREM SO FASZINIERT, IST...
... DASS ES EIN WESEN IST, DAS ZU NIEMANDEM GEHÖRT!

ER LABERT SCHON WIEDER...
...

NA GUT.
DANN LASSEN SIE MICH AN IHREN WEISHEITEN TEILHABEN.
WAS SOLL DAS?!
SEIT MEINER KINDHEIT WERDE ICH FÜR MEINE ANSICHTEN BELÄCHELT.

AUCH NACHDEM ICH TEAM PLASMA BEIGETRETEN BIN!
MAN REDETE ZWAR ÜBER DAS POKÉMON DES "WUNSCHES" UND ÜBER DAS DER "WIRKLICHKEIT", ABER NIE ÜBER DAS DRITTE POKÉMON VOM TYP DRACHE.

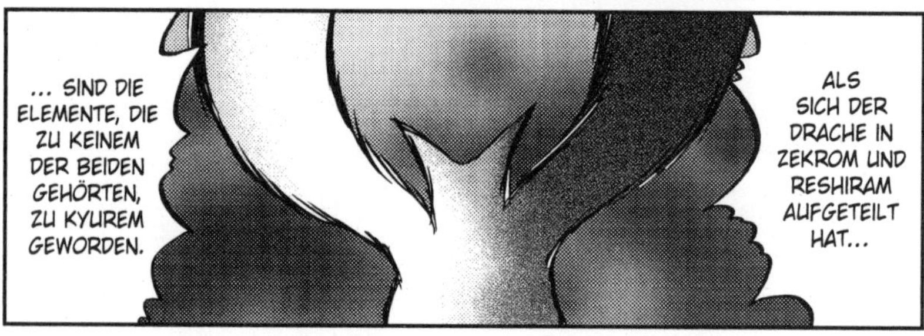
ALS SICH DER DRACHE IN ZEKROM UND RESHIRAM AUFGETEILT HAT...
... SIND DIE ELEMENTE, DIE ZU KEINEM DER BEIDEN GEHÖRTEN, ZU KYUREM GEWORDEN.

G-CIS UND DIE ANDEREN WEISEN HIELTEN DAS FÜR DIE ABGEWORFENE HÜLLE.
JA, ICH GEBE JA ZU, DASS ICH DAS ANFANGS AUCH DACHTE!
ABER ES IST NICHT WAHR!!
DASS ES ZU KEINEM DER BEIDEN GEHÖRT, BEDEUTET, DASS ES DIE BEIDEN IN SICH VEREINEN KANN!!

GUT! GENUG GEREDET!
WOSCH

WISSEN SIE, ICH HAB ES BEGRIFFEN.
VIOLACEUS ...

SIE HABEN BEREITS VOR ZWEI JAHREN ...
... KYUREM GEFANGEN, NICHT WAHR?

HEHEHE... SO IST ES.
IN DER RIESENGROTTE IM NORDOSTEN VON EINALL.

ÜBRIGENS... IST IHNEN NICHT AUFGEFALLEN, WIE WEISS IHR ATEM IST...
... UND WIE KALT ES IN DIESEM VERLASSENEN TIEFKÜHLCONTAINER IST?

WAS SAGEN SIE JETZT ?!
DIE ASYMMETRISCHE GESTALT EINER INTELLIGENZ, DIE SICH WEDER VON "WUNSCH" NOCH VON "WIRKLICHKEIT" BEEINFLUSSEN LÄSST!
DIESE GESTALT, DIE EINES ERHABE-NEN, IM GRENZBE-REICH EXISTIEREN-DEN DRACHENS, WELCHEN MAN KEINEM ANDEREN ZUORDNEN KANN, WÜRDIG IST!!
FANTAS-TISCH! EINFACH FANTAS-TISCH!
DANN WERDE ICH DIESES KYUREM MITNEH-MEN.
DAS WERDE ICH NICHT ZULAS-SEN!!
SIE BEZAH-LEN JETZT DAFÜR, DASS SIE MICH VERSPOTTET HABEN!!
IHR KÖRPER SOLL MITSAMT IHRER SEELE ZU EIS GEFRIEREN, DAS ICH SODANN ZERMALMEN, SCHMELZEN UND IN DEN FLUSS WERFEN WERDE!!

KANALI-SATION VON STRATOS CITY

ZUMM ZUMM ZUMM ZUMM ZUM

SIE WIRKEN ALLE... SO FURCHTERREGEND.
ABER SIE SEHEN IRGENDWIE ANDERS AUS ALS DIE MITGLIEDER, DIE ICH KENNE.

SÄUREPANZER!!
FLATSCH

MÜLLTREFFER!!
BAMM
BAMM
BAMM
BAMM

DA DA DA DA DA
?!

WISST IHR NICHT, WER ICH BIN?!
GLAUBT IHR ETWA, DASS DAS WIRKT?!

SIND DAS ALLES POKÉMON, DIE SIE "BEFREIT" HABEN?

LAUKAPS !

SIE WIRKEN SO UNGLÜCK-LICH.
SIE WEINEN ...
... UND HABEN ANGST.

...

DA KANN MAN NICHTS MACHEN. SIE GLAUBEN SCHLIESSLICH, DASS MENSCHEN IHNEN NUR BÖ-SES TUN.
PUH... GANZ SCHÖN ANSTRENGEND. SIE HABEN DIE GANZE ZEIT GE-HEULT UND SICH GEWEHRT.

ABER...

ABER DIESE POKÉMON RÜHREN DAS ESSEN NICHT AN.
SIE ESSEN NICHT, WEIL DU SIE BEOBACHTEST.
GEHEN WIR AUS DEM ZIMMER UND LASSEN SIE IN FRIEDEN.
WENN SIE DENKEN, DASS DIE MENSCHEN IHNEN NICHTS BÖSES TUN, WERDEN SIE ESSEN.
KOMM MIT.
WAS SOLL ICH NUR MACHEN?! WAS TU ICH JETZT, TARNI?!
ICH WEISS NICHT, WIE SOLCHE "BEFREIUNGEN" ABLAUFEN!! IST DAS HIER NORMAL?!
URGH!
WRUMMS
MICA !!
DURCH SÄUREPANZER KOMMEN DIE ATTACKEN NICHT ZUR ENTFALTUNG.
IN SO EINER SITUATION SOLLTE ICH...

SCHWOSCH!
KLÄRSMOG!!

ABER ICH MUSS SAGEN, DIE ATTACKE KLÄRSMOG VORHIN WAR ERSTE SAHNE!
BITTE ?
ACH… DAS HATTE UNS HERR CHEREN ERST NEULICH IN FÄHIGKEITS-VERWANDLUNGS-LEHRE BEIGE-BRACHT…

ACH! DIE TRAINER-SCHULE IST ALSO DOCH SO GUT WIE IHR RUF!
PIEP PIEP
HM?
VER-SUCHST DU, DIE JUNGS ZU ERREI-CHEN?
NEIN.

MEINE MUTTER!

SO, MATISSE. SAG MIR …
… WAS DU WEISST.

CHA-CHA-CHAAA-CHA-CHA-CHAAA!
CHA-CHA!
WIE LÄUFT'S BEI DIR, LEBELLE? HAST DU WAS HERAUSGE-FUNDEN?
INSPEK-TOR!!

INSPEKTOR!!

I-INSPEKTOR...?
ÄH, NA, ICH HABE GERADE EINE NACHRICHT VON MEINEM PARTNER... ÄH, VORGESETZTEN... ERHALTEN.

SEIN VORGESETZTER ...

MATISSE. MEIN VORGESETZTER HAT MICH ANGEWIESEN ZU FRAGEN, WAS DU ALLES WEISST.
WIE BITTE?! WARUM BEOBACHTET DIE POLIZEI MICH AUF EINMAL?!

WEISST DU DAS NICHT SELBST AM BESTEN?
... SAGT MEIN VORGESETZTER.

JA, ICH AHNE, WARUM.
ABER ...

... DAS WERDE ICH NICHT AUSGERECHNET ...
... EINEM TOXIQUAK-POLIZISTEN AUF DIE NASE BINDEN !!

TAPP
DASS ICH NICHT LACHE!! ICH HABE MIT TEAM PLASMA NOCH EINE RECHNUNG OFFEN!!
DIE POLIZEI SOLL SICH GEFÄLLIGST DA RAUS-HALTEN!!

DU HAST IHN GEHÖRT, INSPEK-TOR.
WAS? WARUM ER VON EINEM TOXIQUAK GESPROCHEN HAT?
KEINE AHNUNG ...
WIE IST DIE LAGE BEI DIR?

SIE IST SELBST-VER-STÄND-LICH...

... PERFEKT...

ICH MUSSTE DIE HANDLANGER MATISSE UND DEN ANDEREN ÜBERLASSEN...
... ABER ES LIEF ALLES ETWAS ZU GLATT.

DIE LEUTE VON TEAM PLASMA HABEN DIE POKÉMON ZURÜCKGELASSEN UND SIND GEFLÜCHTET.
DAS GANZE WAR WOMÖGLICH EIN TÄUSCHUNGSMANÖVER.

HEHE...
HEHEHEHE...
HUIIII
DIESE KALTE LUFT...
OH! DAS IST DAS ZEICHEN ...
... DASS DER PLAN UNSERES ANFÜHRERS AUFGEGANGEN IST!!

...

LEBELLE, SORG DAFÜR, DASS AQUILUS UND VIRIDUS ABGEFÜHRT WERDEN. SIE SIND IN DEM SEITLICHEN DURCHGANG... IN SÜDLICHER RICHTUNG...
JAWOHL! UND DU, INSPEKTOR?

ICH...
BOFF

... WERDE MIR DEN ALTEN FLUCHTWEG IM HINTEREN BEREICH DER KANALISATION ANSEHEN!!

WEISSY

ZUGEHÖRIGKEIT: 75. JAHRGANG DER TRAINERSCHULE, KLASSE E (ZUM ZWEITEN TRIMESTER AUF DIE SCHULE GEWECHSELT; WOHNHEIMBEWOHNERIN)
ALTER: 12 JAHRE (STAND: ABENTEUER 536)
GEBURTSTAG: 16. SEPTEMBER
STERNZEICHEN: HYPNOMORBA
HERKUNFTSORT: WEISSER WALD
FAMILIE: MUTTER
HOBBY: STERNE BEOBACHTEN
LIEBLINGSESSEN: PARFAIT
LIEBLINGSBLUME: GRACIDEA-BLUME
LIEBLINGSFARBE: BLAU
LIEBLINGSFACH: STATUSVERÄNDERUNGSLEHRE

WEISSY KAM ZUM ZWEITEN TRIMESTER NEU AUF DIE TRAINERSCHULE VON EVENTURA CITY. SIE IST ZIEMLICH STARK IM POKÉMON-KAMPF, IN DEM SIE IMMER IHR LIEBGEWONNENES TARNPIGNON EINSETZT. AUF DEN ERSTEN BLICK SIEHT SIE WIE EIN NORMALES MÄDCHEN AUS; ALLERDING HANDELT ES SICH BEI IHR UM EIN EHEMALIGES MITGLIED VON TEAM PLASMA, DAS ZUSAMMEN MIT SEINER MUTTER IN DER SOGENANNTEN "HEIMAT" LEBTE, DEREN OBERHAUPT RUBIUS, EINER DER SIEBEN WEISEN, WAR. WEISSY WURDE VON IHRER MUTTER GERATEN, DIE TRAINERSCHULE ZU BESUCHEN, WO SIE SICH VORNIMMT, MÖGLICHST WENIG AUFZUFALLEN. VOR ZWEI JAHREN HATTEN GEGENKRÄFTE INNERHALB VON TEAM PLASMA, ZU DENEN AUCH RUBIUS UND CAERULEUS GEHÖRTEN, EIN FORSCHUNGSPROJEKT DURCHGEFÜHRT, DEREN GEHEIMEN ERGEBNISSE WEISSY AUF EINER SPEICHERKARTE MITGEGEBEN WURDEN.
WEISSY IST EINE GROSSE VEREHRERIN VON N. ALS SIE AM ERSTEN TAG AN DER TRAINERSCHULE AUS DEM KAMPF-PRAXIS-UNTERRICHT ALS KLASSENBESTE HERVORGEHT, WIRD IHR EIN POKÉDEX ANVERTRAUT. DA N JEDOCH EIN GEGNER VOM POKÉDEX WAR, WIDERSTREBT ES IHR, DIESES GERÄT AUCH ZU BENUTZEN.

ABENTEUER 537
VS. KYUREM II
"DIE ACHROMAS-MASCHINE"
DAS 11. KAPITEL,
S2-
W2

KEUCH
KEUCH
BROOO
HM ...?!

BRAUS

D-DER INSPEKTOR SITZT AUF EINEM...
...GENESECT?!

ER HATTE DOCH GESAGT, ER WÜRDE ES AN DIE ZENTRALE ÜBERGE-BEN...
... UND JETZT BENUTZT ER ES ALS FORTBEWE-GUNGSMIT-TEL...!

W-WIR SOLLTEN UNS JEDENFALLS SCHNELLSTENS UM DEN ABTRANSPORT VON AQUILUS UND VIRIDUS KÜMMERN!

KYUREM!

EISZEIT!!

FAUCH
KLIKDIKLAK! AUTONOMIE !!
SCHWIRRR
KNISTER KNISTER
KNISTER
ZING
WIRKLICH BEEINDRU-CKEND.
ES KONNTE DAS MIT AUTONOMIE BESCHLEUNIGTE KLIKDIKLAK MIT SEINER ATTACKE STREIFEN.
ABER DANK WUNDERRAUM IST SEINE SPEZIALVER-TEIDIGUNG ERHÖHT WORDEN, SODASS ES NICHT ZU EIS GEFROREN IST.
WRRROOAAA

DIESE KÄLTE-ENERGIE FLÖSST MIR WIRKLICH RESPEKT EIN.

HEHEHE... WAS SAGEN SIE JETZT?
SOLL ICH DIE ATTACKE BENOTEN? DAS MACHE ICH DOCH GERNE.

DAS POKÉMON ERHÄLT DIE VOLLE PUNKTZAHL.
SEIN TRAINER EINE GLATTE SECHS.

IN IHRER AUSSICHTSLOSEN LAGE WOLLEN SIE MICH IMMER NOCH VERHÖHNEN?!
SELBSTVERSTÄNDLICH.
OBWOHL SIE EIN LEGENDÄRES POKÉMON MIT SOLCHEN KRÄFTEN EINSETZEN...
RUMMS

... ERFREUEN SICH SOWOHL ICH ALS AUCH MEIN KLIKDIKLAK BESTER GESUNDHEIT.
DAS BEWEIST IHRE INKOMPETENZ.

DAS IST NICHT WAHR! SEIT ZWEI JAHREN HABE ICH...

ZWEI JAHRE HABEN SIE HIERFÜR GEBRAUCHT?
DAFÜR REICHEN MIR ZWEI SEKUNDEN.

MIT DIESER ACHROMAS-MASCHINE.
PRESS

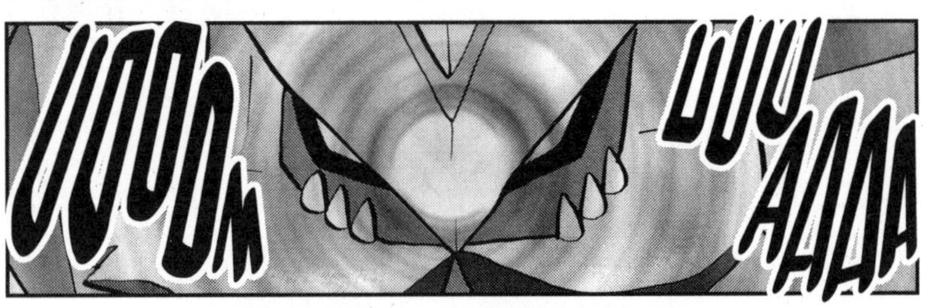

JETZT!
SCHWUMM
OH!
KRACK

HEHEHE...

ARGH ...!!

WAS FÜR EIN JAMMER! SIE HABEN MEGALON VERGESSEN!

DABEI BEGANN DER KAMPF GERADE, INTERESSANT ZU WERDEN.

VIOLACEUS, SIE BEHAUPTETEN VORHIN, KYUREM GEHÖRE WEDER "WUNSCH" NOCH "WIRKLICHKEIT" AN…
… UND DAS BEDEUTE…
… DASS ES BEIDE IN SICH VEREINEN KÖNNE, NICHT WAHR?
NUN, NACHDEM ICH ES GESEHEN HABE, KANN ICH SAGEN, DASS ICH IHRER MEINUNG BIN.

DANACH UNTERBRACH ICH SIE, WEIL MICH IHRE UNTERLEGENHEIT GELANGWEILT HAT…
… ABER GENAU WIE SIE VERSUCHEN, IHRE UNTERLEGENHEIT AUSZUGLEICHEN…

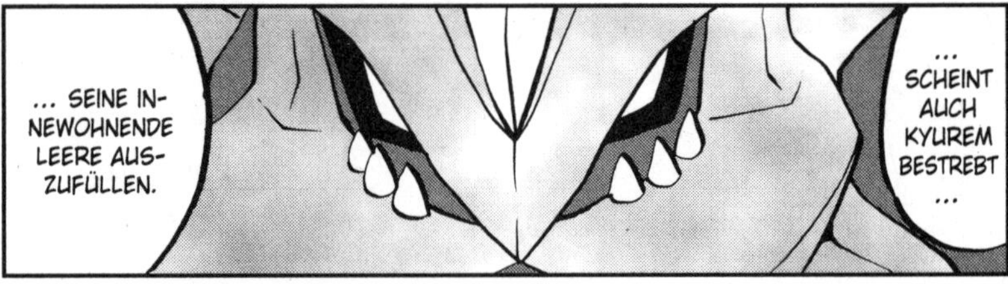

… SCHEINT AUCH KYUREM BESTREBT …
… SEINE INNEWOHNENDE LEERE AUSZUFÜLLEN.

NEIN, DAS STIMMT NICHT… ES LÄSST SICH NICHT BEEINFLUSSEN… ES GEHÖRT KEINEM DER BEIDEN AN… ES VEREINT SIE IN SICH…
HM…

ACH SO.

SO IST DAS ALSO. JETZT BEGREIFE ICH.
IHR WAHRES ZIEL BESTEHT DARIN …

... DASS KYUREM...
... ZEKROM UND RESHIRAM DURCH FUSION IN SICH AUFNIMMT ...
... ODER NICHT?!

...
NANU? ES HAT IHNEN DIE SPRACHE VERSCHLAGEN...
HABE ICH IHRE BEWEGGRÜNDE ERKANNT?
NUN, DANN WÜRDE ICH SIE DOCH BITTEN ...
... MIR DIE ACHROMASMASCHINE WIEDER ZURÜCKZUGEBEN.

SCHWUSCH

WUPP
WRUMMS!
DER BAUPLATZ DES GEBÄUDES FÜR DAS POKÉMON WORLD TOURNAMENT IN MAREA CITY…
STAMMT DIESE KÄLTE VON HIER?
ZAPP
ZEIG DICH!

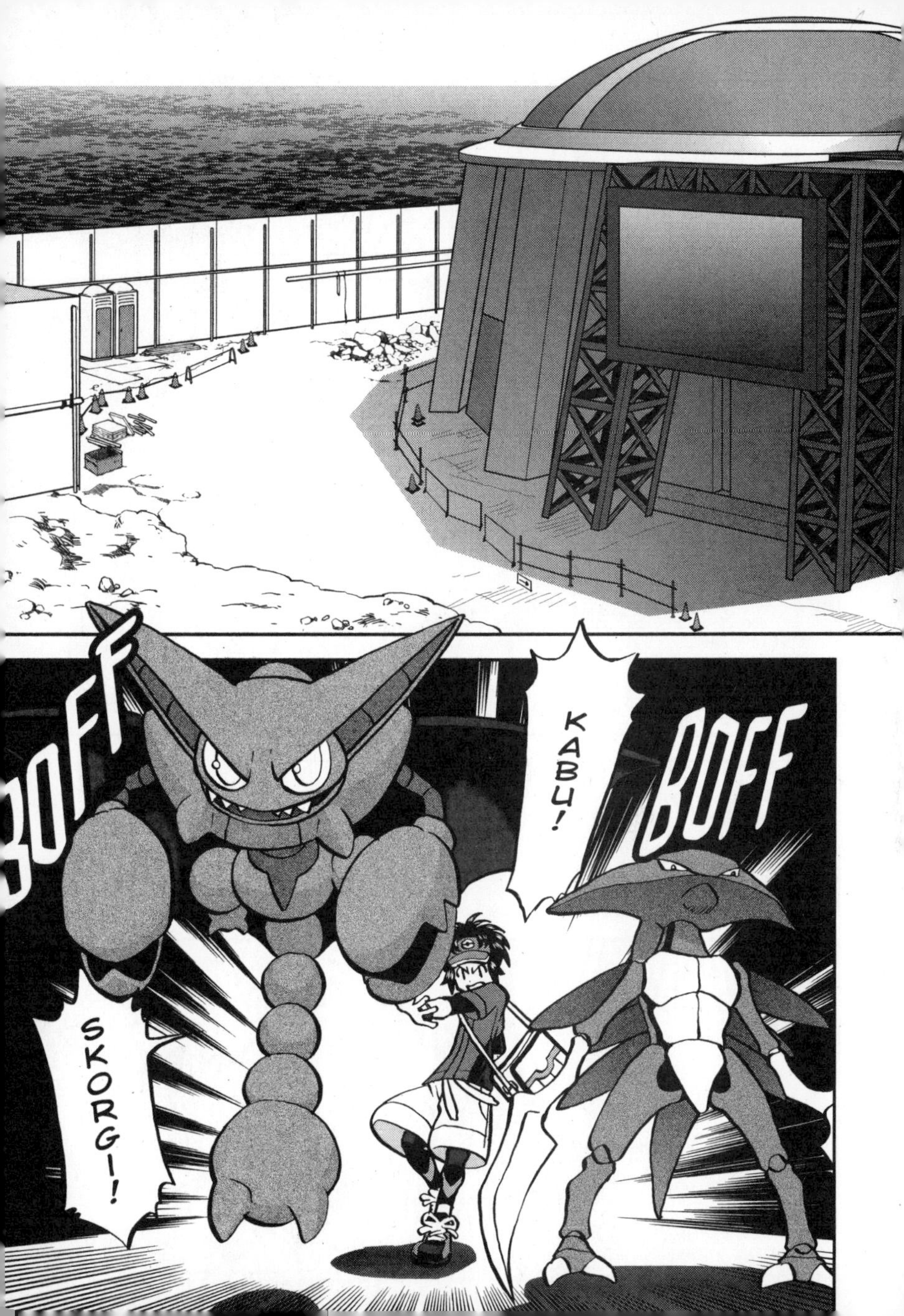
BOFF
KABU!
BOFF
SKORGI!

HUSCH

VOLTOLOS!
DEMETEROS!
VIOLACEUS VON DEN SIEBEN WEISEN ...!

BLICK
SIE HABEN MICH BE-MERKT!
SCHWUMM...

TIERGEISTFORM!
WIE BEI BOREOS... JEMAND HAT IHRE FORMWANDLUNG MIT EINEM WAHR-SPIEGEL ER-ZEUGT...!

DU BIST DAS ALSO.

INSPEKTOR SCHWARZY.

AH!
MUTTER!

MUTTER! ICH MUSS DICH ETWAS FRAGEN!
UND ZWAR ...

DU HAST DIE LEUTE ...
... IN DEN SCHWARZEN UNIFORMEN GETROFFEN?

DU KENNST SIE?!
JA.
WER SIND DENN DIE?! GEHÖREN DIE NICHT ZU UNS?!

SIE HABEN DIE POKÉMON BEFREIT, ABER NICHT BESCHÜTZT!
NEIN, VIEL SCHLIMMER: SIE HABEN SIE EINFACH WEGGEWORFEN!

BOFF!

WORÜBER REDET SIE?
SCHLEICH

WAS DENKEN DIE SICH DABEI?!
DIE ARMEN POKÉMON!
WENN N DAS GESEHEN HÄTTE, ER HÄTTE SIE…

SORRY, SORRY. ICH LAUSCHE AUCH NICHT MEHR!
EINE GRUPPIERUNG, DIE SICH GEGEN N GERICHTET HAT?!

JA. GEGENKRÄFTE, DIE DIE KRAFT DER BEFREITEN POKÉMON…
… FÜR EIGENE INTERESSEN ZU NUTZEN TRACHTEN.

NACHDEM N VERSCHWUNDEN WAR, HABEN SIE EINEN WISSENSCHAFTLER NAMENS ACHROMAS ZU IHREM ANFÜHRER ERNANNT.

DIESER HAT AN EINER VORRICHTUNG GEARBEITET, MIT DER SICH POKÉMON MANIPULIEREN LASSEN UND IHRE KRAFT AUSGESCHÖPFT WERDEN KANN.
DIE ACHROMAS-MASCHINE.
DIESE LEUTE HABEN ACHROMAS UNTERSTÜTZT, DAMIT SIE ZUGRIFF AUF DIESE MASCHINE BEKOMMEN.

ALS WIR, DIE ANHÄNGER VON N, DAVON ERFUHREN...

... HABEN WIR BEGONNEN ZU FORSCHEN, WIE WIR DIE ACHROMAS-MASCHINE UNSCHÄDLICH MACHEN KÖNNEN.

UND DIE ERGEBNISSE HABEN WIR IN EINER SPEICHERKARTE AUFBEWAHRT UND IN DEM ANHÄNGER VERSTECKT.
WAS?
ANHÄNGER?

JA, DER ANHÄNGER, DER DIR VON DEN MUSEN GEGEBEN WURDE, DAMIT DU IHN AUFBEWAHRST, BIS N ZURÜCKKEHRT...
DER ANHÄNGER...
... DEN ICH AUFBEWAHREN SOLLTE?!

WENN DIESE LEUTE NUN IN AKTION GETRETEN SIND, KÖNNTE DAS BEDEUTEN, DASS DIE ACHROMAS-MASCHINE FERTIGGESTELLT WURDE.
WEISSY, DU MUSST MIR GENAU ZUHÖREN.

WIR KÖNNEN NICHT MEHR AUF DIE RÜCKKEHR VON N WARTEN.
GEHE SOFORT ZU RUBIUS ODER CAERULEUS UND ÜBERGIB IHNEN DEN ANHÄNGER.
ABER MUTTER...
DU WEISST NICHT, WO SIE SIND, NICHT?
ICH WERDE FRAGEN UND MELDE MICH, SOBALD ICH MEHR WEISS.
ALSO ...
NEIN! MUTTER, ICH HABE ...

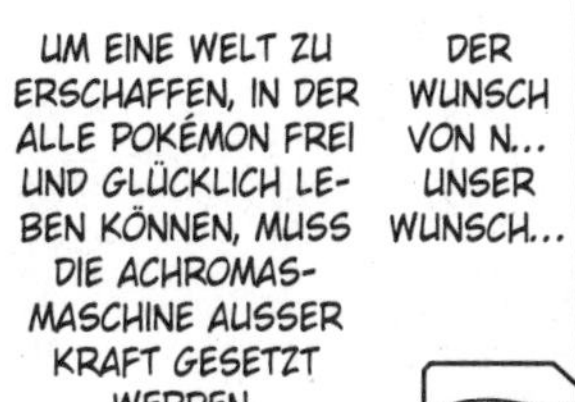

DAS IST MEINE AUFGABE!!

LEO

EIN MITSCHÜLER VON SCHWARZY, WEISSY UND MATISSE AN DER TRAINERSCHULE. ER IST IM UMGANG MIT KAPUNO SO TALENTIERT, DASS ER SICH VOR ZWEI JAHREN BEREITS FÜR DIE TEILNAHME AN DER POKÉMON-LIGA QUALIFIZIEREN KONNTE. IN DER ENDRUNDE SCHEITERTE ER ERST IM VIERTELFINALE AN CHEREN. SPÄTER, ALS CHEREN SEINE STELLE ALS LEHRER AN DER TRAINERSCHULE ANTRITT, KOMMT ES ZUM WIEDERSEHEN DER BEIDEN.

AUFGRUND SEINES SCHÜCHTERNEN WESENS DRÄNGT ER SICH ZWAR NIE IN DEN VORDERGRUND, ABER DANK SEINER GEWANDTHEIT IM POKÉMON-KAMPF IST ER EIN TRAINER, AUF DEN MAN SICH VERLASSEN KANN, WENN ES DARAUF ANKOMMT. IM WOHNHEIM TEILT ER SICH EIN ZIMMER MIT MATISSE. DIESER BITTET LEO, SICH UM SEINE KLEINE SCHWESTER ZU KÜMMERN, DIE ALS BLINDER PASSAGIER AUF DEM SCHIFF NACH STRATOS CITY MITGEREIST IST…

ZUGEHÖRIGKEIT:
75. JAHRGANG DER TRAINERSCHULE, KLASSE E (WOHNHEIMBEWOHNER)
ALTER: 11 JAHRE
(STAND: ABENTEUER 537)
GEBURTSTAG: FEBRUAR
STERNZEICHEN: SODACHITA
HERKUNFTSORT: MONSENTIERO
LIEBLINGSFACH: TYPENLEHRE
PLATZIERUNG IM JAHRGANG:
8. RANG UNTER DEN 150 SCHÜLERN DES 75. JAHRGANGS (ERSTKLÄSSLER)
ERFOLGE: TEILNAHME AN DER POKÉMON-LIGA VON EINALL
VIERTELFINALIST DER POKÉMON-LIGA VON EINALL

ABENTEUER 538
VS. VOLTOLOS (TIERGEISTFORM)
"DIE THERIANTHROPISCHE FORM"
DAS 11. KAPITEL,
S2-
W2

STRATOS CITY
PRIME PIER

SEID IHR AUCH ALLE DA?
AH! HERR CHEREN, ES IST ETWAS PASSIERT!!

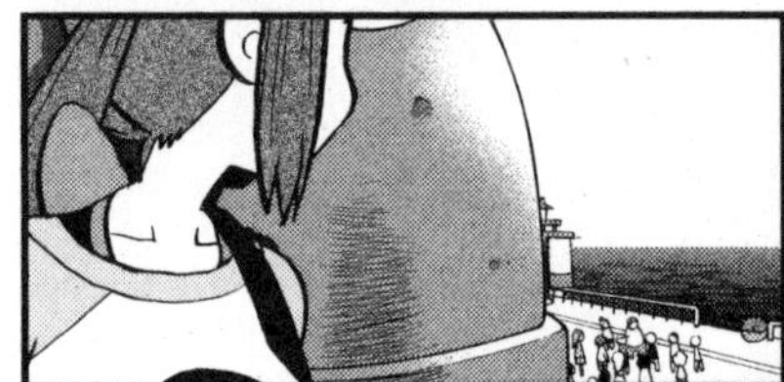

WO IST DER ANHÄNGER BLOSS?

ALS ICH IN POKÉWOOD DAS KOSTÜM FÜR TARNPIGNON GIRL ANGEZO-GEN HABE, WAR ES NOCH DA.
ALSO HABE ICH ES DANACH VERLO-REN...

IN DER FUND-
SACHENECKE VON
DER SCHULE WUR-
DE ER AUCH NICHT
ABGEGEBEN. WENN
DERJENIGE, DER
IHN GEFUNDEN HAT,
IHN BEHALTEN
HAT...

WAS HAST DU DENN? MÖCHTEST DU NICHT ZU DEN ANDE-REN?
HUSCH
WAH!

ÄH, ICH... ALSO...

OFFENBAR KANNST DU AUS EINEM GU-TEN GRUND NICHT RUN-TERGE-HEN.

DA ICH DIE GRUPPE LEITEN UND DEM MANN SEIN LAUKAPS ZU-RÜCKGEBEN MUSS, WERDE ICH GEHEN.

ICH ER-KLÄRE DEM LEHRER IRGEND-WIE, DASS DU NICHT KOMMEN KANNST.
DAN-KE!!

HERR CHEREN !
MICA! WAS IST VORGEFALLEN?! MIR WURDE GE-SAGT, DASS EIN MANN VOM OR-GANISATIONSTEAM ÜBERFALLEN UND VERLETZT WUR-DE...!

DAS WAR TEAM PLASMA!!

TEAM PLASMA ...?
GENAU.

SIE SIND WIEDER AKTIV.
FASELN WAS VON "BEFREIUNG" UND STEHLEN DEN LEUTEN IHRE POKÉMON.

DAS IST NICHT DIE RICHTIGE ZEIT FÜR CHOR UND STADTERKUNDUNG.
WER WEISS, OB NICHT EINER VON EUCH DER NÄCHSTE IST, DER ...
HÖR AUF DAMIT, MATISSE! DU SCHÜRST JA NUR PANIK!

GENAU. DIE POLIZEI UND DER ARENALEITER SOLLEN SICH UM TEAM PLASMA KÜMMERN.
WIR WOLLEN UNS DIESE REISE NICHT VERSAUEN LASSEN!

SEID IHR WIRKLICH SO REALITÄTSFREMDE ARMLEUCHTER...
... ODER VERSUCHT IHR ABSICHTLICH, UNS VON DEN MACHENSCHAFTEN VON TEAM PLASMA ABZULENKEN?

WIE BITTE? WAS SCHWAFELST DU DA?
BEI DEM SIND WOHL DIE SICHERUNGEN DURCHGEBRANNT!

WENN DAS SO IST... BEHALTE ICH ES NICHT MEHR FÜR MICH.
ICH WEISS ...

... DASS SICH IN DIESER KLASSE... UNTER DEN MÄDCHEN...
... EIN MITGLIED VON TEAM PLASMA BEFINDET.

W-WAS REDEST DU DA, MATISSE ?!
ES IST WAHR, HERR CHEREN! JEMAND IN DIESER KLASSE GEHÖRT ZU TEAM PLASMA!

DU BIST DAS LETZTE, MATISSE!
DEINE FANTASIE IST MIT DIR DURCHGEGANGEN!
VERSCHWINDE AUS UNSERER KLASSE… NEIN, GLEICH AUS UNSERER TRAINERSCHULE!

GUT.
DAS HATTE ICH EH VOR.

WAS …?

MATISSE …
HERR CHEREN… VERZEIHEN SIE MIR.

ICH BIN IN DIESE SCHULE GEKOMMEN, UM STÄRKER ZU WERDEN UND TEAM PLASMA ZU BESIE-GEN.
ABER IRGENDWO IN MEINEM INNEREN FING ICH AN ZU DENKEN, DASS SICH DIE DINGE MIT DEN VORFÄLLEN VOR ZWEI JAHREN ERLEDIGT HABEN UND ES TEAM PLASMA NICHT MEHR GIBT. MANCHMAL HABE ICH KEINEN SINN MEHR IN DEM GESEHEN, WAS ICH MACHE.

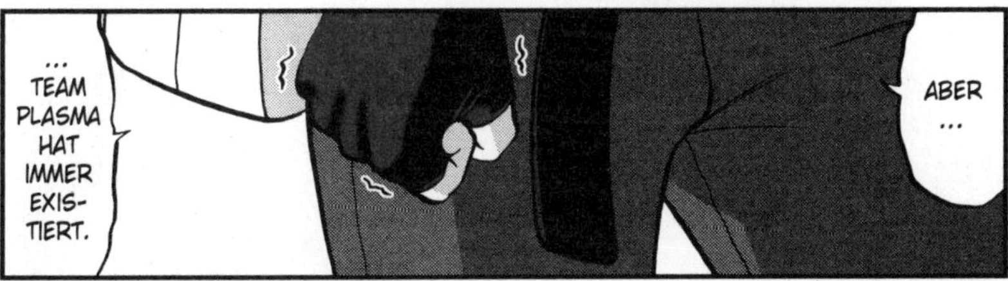
ABER ...
... TEAM PLASMA HAT IMMER EXIS-TIERT.

ALS ICH VORHIN TEAM PLASMA GEGENÜBER-STAND, HABE ICH EINEN ENTSCHLUSS GEFASST.
ICH WERDE MIT DER SCHULE AUFHÖREN UND TEAM PLASMA VERFOL-GEN!
BE-RUHIG DICH!

UND WAS MEINTEST DU DAMIT, DASS EINE SCHÜLERIN AUS DER KLASSE MIT-GLIED VON TEAM PLASMA IST?
G-GENAU! KANNST DU DAS BEWEI-SEN?!

BEWEI-SEN? DAS HIER...
... IST MEIN BE-WEIS.

KLAPP

NA SCHÖN, JETZT HÖR MIR GUT ZU, HANDLANGER VON TEAM PLASMA!
BISHER HABE ICH VERSUCHT, HERAUSZUFINDEN, WER DU BIST, ABER DAS SPIELT JETZT KEINE ROLLE MEHR!

ICH WEISS ZWAR NICHT, WARUM DU AN DER TRAINERSCHULE BIST, ABER AUCH DAS IST JETZT EGAL!
DU SOLLST NUR EINES WISSEN...

KEUCH

... UND ZWAR, DASS ICH DIESES DING BEI MIR HABE !!

KEUCH

WARTE!!
HUSCH

WEISSY!
DU WARST DOCH DA?!

HATTE SIE SICH VERSTECKT?
SIE VERSUCHT, MATISSE AUFZUHALTEN.
WARUM?
DOCH NICHT ETWA, WEIL ...

WEISSY, DU...

ICH...
KEUCH
ICH...
KEUCH
ICH...
KEUCH

WAAAAAAH!!
SPOFF!!
SCHLAE

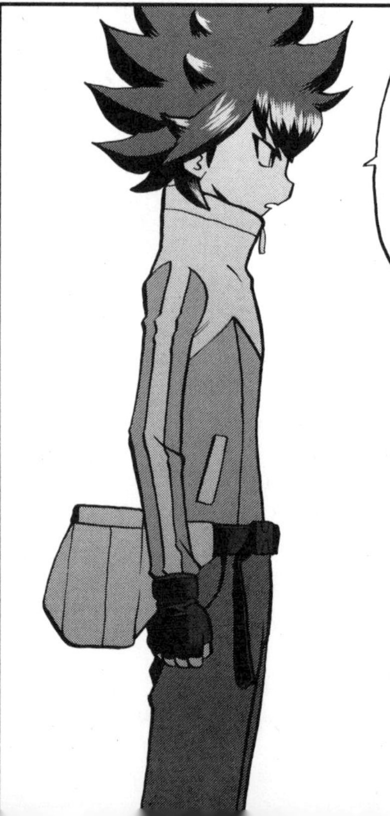

DU
ALSO...

WROSCH
WROSCH
WROSCH

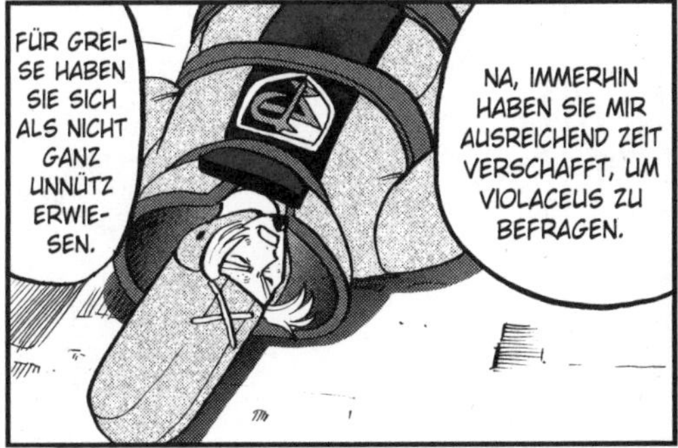

HOPPLA!
VIOLACEUS KANN ICH DIR NOCH NICHT ÜBERLASSEN.
HUSCH
SCHWIR
SCHEPPER!
ALS MENSCH MAG ER RECHT EINFÄLTIG SEIN, ABER WAS DAS WISSEN ÜBER DIE FUSION MIT KYUREM ANBELANGT, IST ER EINES WEISEN WÜRDIG.
ER WIRD AUCH KÜNFTIG FÜR MICH VON NUTZEN SEIN.
WUSCH
SCHWUSCH

ZACK
WUMM
DU WILLST DICH FÜR DIE VORFÄLLE AUF DER ROUTE 20 RÄCHEN? NUR ZU, GIB DIR MÜHE.
LUFTSCHNITT!!
WROOMMS!
SCHWUP

ZWOTTRONIN! SKORGI! KABU! ERLEDIGT DIE DREI!
KELDY, DU HÄLTST VIOLACEUS FEST!

OBWOHL SIE MIT DEM WAHR-SPIEGEL IN IHRE EIGENTLICHE FORM VERWANDELT WURDEN, ÜBERLÄSST DU DIE DREI DEN POKÉMON?
WIE STRENG DU DICH AN DIE VOR-SCHRIFTEN HÄLTST…

ABER UM DAS HIER WIRST DU DICH DOCH PERSÖN-LICH KÜMMERN, NICHT WAHR?
KLICK

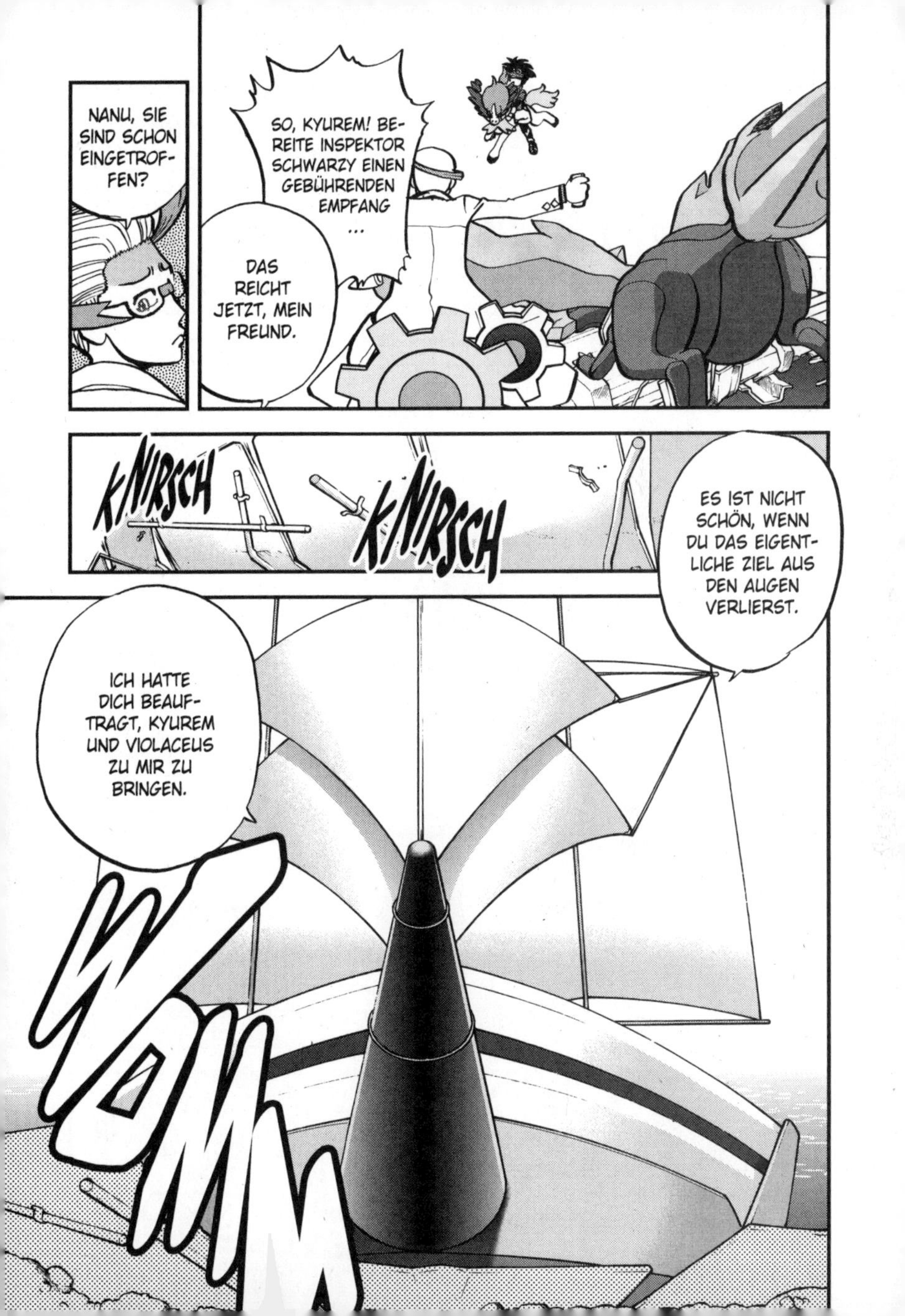

NANU, SIE SIND SCHON EINGETROFFEN?
SO, KYUREM! BEREITE INSPEKTOR SCHWARZY EINEN GEBÜHRENDEN EMPFANG ...
DAS REICHT JETZT, MEIN FREUND.
KNIRSCH
KNIRSCH
ES IST NICHT SCHÖN, WENN DU DAS EIGENTLICHE ZIEL AUS DEN AUGEN VERLIERST.
ICH HATTE DICH BEAUFTRAGT, KYUREM UND VIOLACEUS ZU MIR ZU BRINGEN.
WUMM

FLACKER

WIR BEGEGNEN UNS ZUM ERSTEN MAL, INSPEKTOR SCHWARZY VON DER INTERNATIONALEN POLIZEI.

EIN SEGEL-SCHIFF ?!

G-CIS ...!!

DEINE AUFGABE IST ES, UNS, DIE SIEBEN WEISEN VON TEAM PLASMA, FESTZUNEHMEN, NICHT WAHR?

LEIDER MUSS ICH DIR MITTEILEN, DASS ICH EINEN TRAUM HABE…

… UND ICH MICH NICHT VERHAFTEN LASSEN KANN, DAMIT DIESER WAHR WIRD.

MEIN FREUND.

BRINGE BITTE KYUREM IN DEN RAUM.

UND VERANLASSE, DASS ES SEINE KRAFT EINSETZT.

JA, JA…

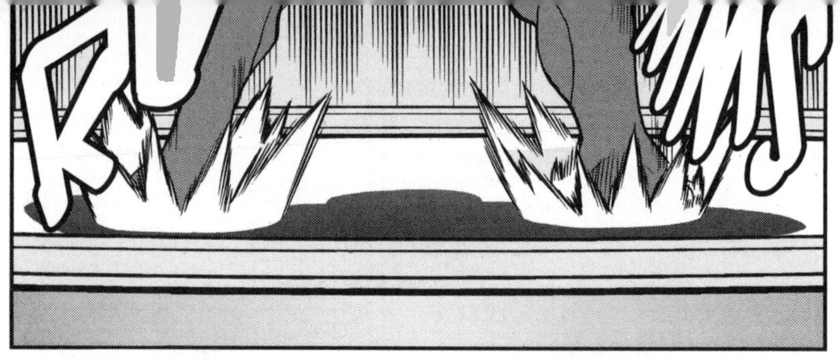

KR
UMMS

ZURR

RRRRRRRRR

WR ROOMM

LEBE WOHL, INSPEKTOR SCHWARZY.
G-CIS, DU BIST VERHAF-TET!!
ABGE-LEHNT.

HUSCH

ÜBER-
LASSEN
SIE DEN
REST
...

...
UNS...

...
DEM
FINS-
TRIO.

!!
DIE...
... DIE
HABEN
DAMALS
...!

RACHE !!

DER ENERGIEVERSTÄRKER IST BEREIT.

SIE HABEN ES GEHÖRT.
DANN BRECHEN WIR DOCH AUF.

GUT.

FLAGGSCHIFF VON TEAM PLASMA, PLASMA-FREGATTE...

START !!

OA AAAS

MATISSE

ZUGEHÖRIGKEIT:
75. JAHRGANG DER TRAINERSCHULE, KLASSE E (WOHNHEIMBEWOHNER)
ALTER: 12 JAHRE (STAND: ABENTEUER 538)
HERKUNFTSORT: EVENTURA CITY
FAMILIE: JÜNGERE SCHWESTER, GROSSVATER
LIEBLINGSFÄCHER: FÄHIGKEITSLEHRE, KAMPF-PRAXIS
PLATZIERUNG IM JAHRGANG: 5. RANG UNTER DEN 150 SCHÜLERN DES 75. JAHRGANGS (ERSTKLÄSSLER)

EINER DER KLASSENKAMERADEN VON SCHWARZY AN DER TRAINERSCHULE. LEIDENSCHAFTLICH VERFOLGT ER SEIN ZIEL, ZU EINEM STARKEN TRAINER ZU WERDEN, DOCH SEIN TEMPERAMENT VERURSACHT BISWEILEN AUCH KONFLIKTE MIT DEN MITSCHÜLERN. ALS ER SIEBEN JAHRE ALT WAR, SCHENKTE ER SEINER KLEINEN SCHWESTER EIN FELILOU ZUM GEBURTSTAG, DOCH ALS ER VERSUCHTE, SIE ZU ÜBERREDEN, ES IM POKÉMON-KAMPF EINZUSETZEN, ZOG ER DIE AUFMERKSAMKEIT VON MITGLIEDERN VON TEAM PLASMA AUF SICH, DIE DEN GESCHWISTERN DAS POKÉMON ENTRISSEN. DIESER VORFALL HAT IN MATISSE DIE MOTIVATION ENTFACHT, STÄRKER ZU WERDEN, UM EINES TAGES TEAM PLASMA GEGENÜBERTRETEN ZU KÖNNEN UND DAS FELILOU ZURÜCKZUERLANGEN.

ALS ER SICH WIEDER EINMAL MIT DEN MÄDCHEN AUS SEINER KLASSE GESTRITTEN HAT, FINDET ER DURCH ZUFALL WEISSYS ANHÄNGER. DARIN ENTDECKT ER EINE SPEICHERKARTE, DIE EINE "BEFREIUNGSLISTE" ENTHÄLT… EINE AUFLISTUNG DER POKÉMON, DIE VON TEAM PLASMA ENTFÜHRT WURDEN…

ABENTEUER 539
VS. DEMETEROS [TIERGEISTFORM]
"GEFRORENE WELT"
DAS 11. KAPITEL,
S2-
W2

WOMM
WUMM
WOMM
DAS SCHIFF FLIEGT DAVON!!
KELDY! WIR FOLGEN DEM SCHIFF! LASS DIE DREI!!
DU WILLST NICHT HÖREN! NA SCHÖN ...!
VARIA-BLES SEIL!

KRANG!
SCHWUPP
SCH WIRR
ZURÜCK MIT DIR, KELDY!

KÖNNTE DAS BE-
DEUTEN...
... DASS ER AN BORD DER PLASMA-FREGATTE GELANGT IST?
WROOOOO

SOLLEN WIR NACH IHM SUCHEN, ACHROMAS ?
HMM... SPIELEN WIR BESSER NICHTSAH-
NENDE.

ICH WEISS JA, WORAUF ER AUS IST.

KEINE EINZIGE WACHE.
OB SIE MICH NICHT BEMERKT HABEN? ODER WOLLEN SIE MICH IM UNKLAREN LASSEN?

DAS IST JEDEN-
FALLS DIE CHANCE, ZWEI VON DEN SIE-
BEN WEISEN, G-CIS UND VIOLACEUS, ZU VERHAFTEN. ICH MUSS VOR-
SICHTIG SEIN.

RASCHEL
RASCHEL

BERUHIG DICH, KELDY.

DIESE DREI IN SCHWARZER KLEIDUNG...
... HABEN DIEJENIGEN AUSGELÖSCHT, DIE DU VEREHRST, NICHT WAHR?

ICH WEISS, DASS DU DICH AM LIEBSTEN SOFORT AN IHNEN RÄCHEN MÖCHTEST, ABER IM MOMENT HAT MEINE MISSION VORRANG.
ICH VERSPRECHE DIR, DASS ICH DIR HELFE, NACHDEM ICH DIE BEIDEN WEISEN FESTGENOMMEN HABE
JETZT ERKUNDEN WIR DAS SCHIFF, OKAY?

SAG WAS, NEUE.
DU BIST DOCH DIE, DIE DIESEN ANHÄNGER VERLOREN HAT, ODER NICHT?

ANTWORTE...
... VERBRECHERIN !!

...!!
G-GIB ...
GIB IHN MIR ZURÜCK!
GIB MIR DEN ANHÄNGER ZURÜCK ...!

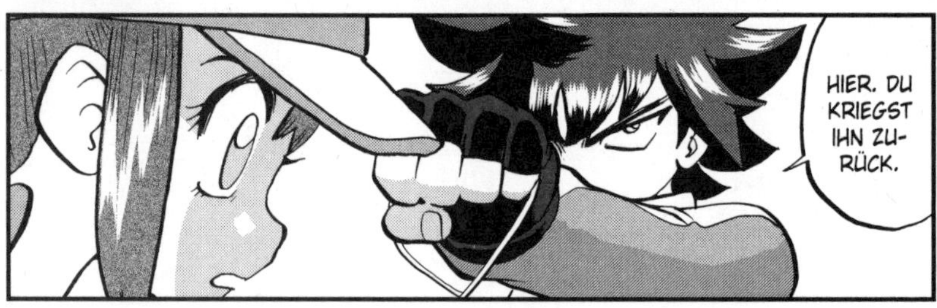
HIER. DU KRIEGST IHN ZURÜCK.

W-WIRKLICH?!
UNTER EINER BEDINGUNG!

DU BRINGST MICH IN DAS VERSTECK VON TEAM PLASMA!

DU ZEIGST MIR DEN ORT, WO DAS ENTFÜHRTE FELILOU VON MEINER SCHWESTER IST!!

DAS VERSTECK? FELILOU?
A-ABER ICH WEISS VON NICHTS.
LASS DIE SPIELCHEN!!

IM ANHÄNGER IST EINE SPEICHERKARTE...
... AUF DER EINE BEFREIUNGSLISTE GESPEICHERT IST!

SLISTE
POKÉMON
TRAINER
FELILOU
MATISSE-GESCHWISTER
VOR FÜNF JAHREN HABEN DEINE FREUNDE VON TEAM PLASMA ALS ERSTES DAS FELILOU VON MEINER SCHWESTER GESTOHLEN!

ALS MITGLIED VON TEAM PLASMA WIRST DU DOCH WOHL WISSEN, WO DIE ENTFÜHRTEN POKÉMON GEFANGEN GEHALTEN WERDEN!
SPRICH!!
KIAH ...!
POFF

SANDSTURM!!
SCHWUSCH

DU WOLL-TEST MICH IN SCHLAF VER-SETZEN UND DEN ANHÄN-GER AN DICH REISSEN!

IHR SEID WIRKLICH VON GRUND AUF MIES! IHR VON TEAM PLASMA!
AUF DIESE WEISE HABT IHR DIE POKÉMON VON DEN LEUTEN GESTOHLEN, NICHT?!

WIR HABEN SIE NICHT GESTOH-LEN!!
WIR HABEN ZUM WOHL DER POKÉMON GEHANDELT UND...

DU DRÜCKST ES NUR MIT SCHÖNEN WORTEN AUS!!
ES IST ABER WAHR !!

WIR HABEN MIT DEN POKÉMON GELEBT UND UNS UM SIE GEKÜM-MERT...
... BIS SIE STARK GENUG WAREN, UM IN DIE WILDNIS ZURÜCKZU-KEHREN.

SIE WURDEN ALLE VON DEN MENSCHEN MISSHAN-DELT...
... UND KONNTEN NICHT MEHR EI-GENSTÄN-DIG LEBEN. SIE WAREN VERLETZT UND HATTEN ANGST.

MEINE MUTTER HAT IN EINER PENSION GEARBEITET.
UND DORT WURDEN IMMER WIEDER SOLCHE POKÉMON HINGEBRACHT.

DA SIE DEN POKÉMON HELFEN WOLLTE …
… BESCHLOSS SIE UND DAS EHEPAAR, DAS DIE PENSION LEITETE, SICH TEAM PLASMA ANZUSCHLIESSEN.

AUCH EINE FAMILIE VON POKÉMON-ZÜCHTERN TRAT BEI…
… EIN ASS-TRAINER…
… EINE JUNGE FRAU, DIE IN EINEM POKÉMON-CENTER GEARBEITET HATTE.
SIE HATTEN ALLE DENSELBEN GEDANKEN.

ABER DASS ES AUCH SOLCHE GIBT, WIE WIR SIE VORHIN IN DER KANALISATION BEKÄMPFT HABEN…
… WUSSTE ICH NICHT.

BEI IHNEN HAST DU RECHT… SIE SIND SO, WIE DU SAGST.

ICH BITTE DICH UM VERZEIHUNG!!

BRING MICH ZU DEM HAUS VON TEAM PLASMA…
… IN DEM DU GEWOHNT HAST.
ABER DAS HABEN WIR VOR ZWEI JAHREN VERLASSEN, ES IST NIEMAND MEHR DA.
AUSSERDEM HABE ICH DA KEIN FELILOU GESEHEN…
BRING MICH DORTHIN!!

WAS IST DAS?
KRASS!
DREHEN DIE GERADE EINEN NEUEN POKÉWOOD-FILM?
WOW! ES KOMMT IN UNSERE RICHTUNG!

QUIETSCH
QUIETSCH
RATTER
RATTER

STRAHL

ÄH... BIST DU OKAY ...?
UH ...

HAAATSCHI!!

!!

WAH
...

PLUMPS

WEISSY.

RUBIUS !!

WAS MACHEN SIE HIER ?!
DEINE MUTTER HAT MICH BENACHRICHTIGT.

DIE INTERNATIONALE POLIZEI HAT SCHON EINIGE WEISEN VERHAFTET.
DAHER WOLLTEN WIR IHN DAVON ABBRINGEN, DIESEN ORT AUFZUSUCHEN, WO SO VIELE MENSCHEN SIND.

IN ANBETRACHT DER DINGE, DIE ICH BISHER GETAN HABE, IST DAS WOHL UNUMGÄNGLICH.
ABER ICH KANN MICH NOCH NICHT FESTNEHMEN LASSEN...
... SOLANGE DIE ACHROMAS-MASCHINE NICHT AUSSER KRAFT GESETZT WURDE.

ALLERDINGS... ES SCHEINT SO, ALS OB DIE DINGE KAUM NOCH AUFZUHALTEN SEIEN...
?

WEISSY.
DAS SIND DIE LEUTE VON DEM NEU FORMIERTEN TEAM PLASMA, FEINDE VON N. DAS DORT IST IHR FLAGGSCHIFF, DIE PLASMA-FREGATTE.

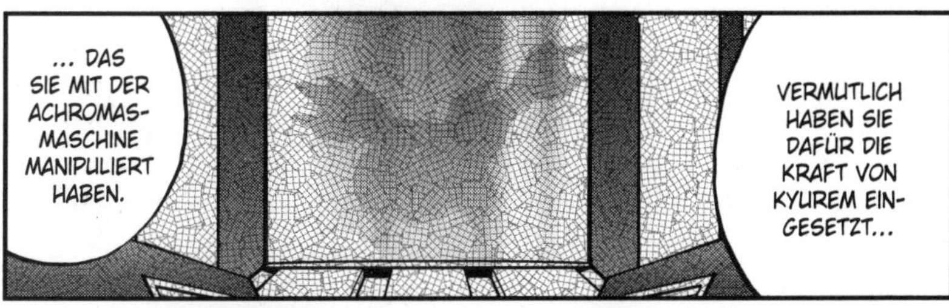
VERMUTLICH HABEN SIE DAFÜR DIE KRAFT VON KYUREM EIN-GESETZT…
… DAS SIE MIT DER ACHROMAS-MASCHINE MANIPULIERT HABEN.

WEISSY, ICH HABE GEHÖRT, DASS DU DEN ANHÄNGER VERLOREN HAST…
J-JA, ES HAT SICH HERAUS-GESTELLT… DASS DIESER SCHÜLER IHN GEFUNDEN HATTE…

VER-STEHE.
DANN BEEILEN WIR UNS UND NEHMEN DIE SPEI-CHERKARTE HERAUS.

RUBIUS, SIE IST NICHT HIER.
WAS?
DER ANHÄN-GER IST LEER… AUCH IN SEINEN TASCHEN IST NICHTS.

ER SAGTE, DASS ER EINE LISTE GESEHEN HAT, DIE AUF DER KARTE GESPEICHERT WAR.
VIELLEICHT IST SIE NOCH IM WOHNHEIM VON DER SCHULE…

IN DER TRAI-NER-SCHU-LE…
GUT, GEHEN WIR NACH EVENTURA CITY.
W-WARTEN SIE BITTE, RUBIUS!

JA-
WOHL.
GUT. DANN BLEIBT IHR ZURÜCK UND SORGT FÜR DIE SICHERHEIT DIESER LEUTE.

WIR KÖNNEN DOCH MEINE MITSCHÜLER NICHT AN EINEM SOLCH GEFÄHRLICHEN ORT ZURÜCKLASSEN.
ZUDEM… WENN ICH JETZT VERSCHWINDE… WERDEN SIE DENKEN… ICH…

FLAPP

ICH HABE DIR EIN POKÉMON MITGEBRACHT, WEISSY.
WIE DU AUCH SEHNT ES SICH NACH DER RÜCKKEHR VON N.
ES WIRD DIR EINE HILFE SEIN.

DAS ZORUA VON N.
TAPP

WAS, VON N?!
GIB IHM DEINE HAND UND SIEH ES IN DIE AUGEN.

BU-BUMM
BU-BUMM

ZAPP

PLOPP!

SO, WAS WOLLEN WIR ALS NÄCHSTES EINFRIEREN?

NA SCHÖN, WIE SIE MEINEN ...

RUMMS

IN DE-CKUNG, RUBIUS !!

WUSCH
RUBIUS! LAUFEN SIE... LAUFEN SIE WEG...!
WEISSY!
UND RUBIUS IST AUCH VERSCHWUNDEN...
DAS WAR JA KLAR.
ICH WUSSTE ES! ES IST SCHIEFGEGANGEN!
ACHROMAS, WAS MACHEN WIR MIT DEM MÄDCHEN?
HM... WIE WÄR'S, WENN WIR SIE IN EINE DER FREIEN KABINEN EINSPERREN?

DAS HEISST, ICH SOLLTE ZUERST KYUREM VON DER ACHROMAS-MASCHINE BEFREIEN!

VERMUTLICH NUTZEN SIE KYUREM ALS TRIEBKRAFT UND HABEN SEINE ENERGIE MIT EINEM ENERGIEVERSTÄRKER VERSTÄRKT.

ES KANN NICHT NUR FLIEGEN! ES BESITZT AUCH EINE KÜHLUNGSKRAFT, DIE GANZE WOLKENKRATZER AUGENBLICKLICH ZU EIS GEFRIEREN KANN!

AUA!

LASS DAS GEPLÄRRE!
BEFEHL VON ACHROMAS. SPERR DAS MÄDCHEN IN EINE KABINE EIN.
VERSTANDEN!

WARUM IST SIE HIER?!
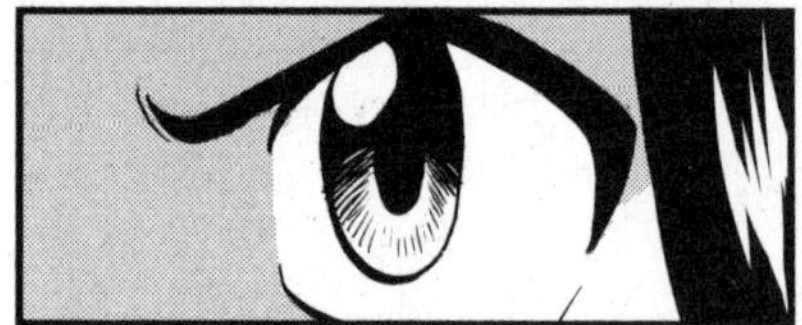

RUMMS!!

KLACK

WAS TU ICH DENN JETZT?! WAS WOLLEN SIE MIT MIR MA-CHEN?!
N...!

GUT!
SCHWING!

SCHLEICH

LOS-LAS-SEN!
RASCHEL RASCHEL

?
AUFHÖ-REN!
KLICK

VER-
DAMMT!
WAH!
RUMPEL!

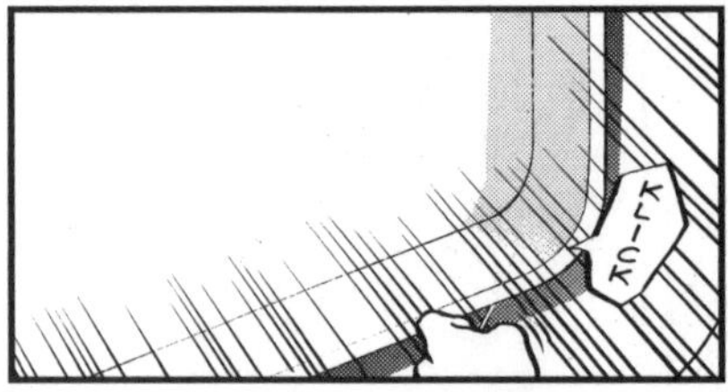
KLICK

WEISSY!
D-DU?!

SIE HABEN DICH AUCH GEFANGEN? BIST DU UNVERLETZT?
J-JA.
WAS IST MIT MICA UND MATISSE?
DIE BEIDEN SIND ZUM PRIME PIER GEGANGEN.
KLACK

TATSÄCHLICH? DANN HABEN SIE NUR DICH GEFANGEN? WARUM?
WAS?! ÄH... DAS IST, WEIL...

MICH HABEN SIE IN DER KANALISATION GESCHNAPPT, ABER WANN UND WO HABEN SIE DICH GEFANGEN, WEISSY?
ÄHM... ALSO...

ER HAT DAMIT VERSUCHT, HERAUSZUFINDEN...

... OB ICH ZU TEAM PLASMA GEHÖRE?

ZIT-
TERST DU,
WEISSY?
DU BRAUCHST KEINE ANGST ZU HABEN. LASS UNS ZUSAMMEN FLIEHEN...
NEIN.
DERJE-NIGE, DER MIR ANGST MACHT ...
... BIST DU.

...
WARUM DENN?

DU... BIST DOCH VON DER INTER-NATIONALEN POLIZEI?
DU HAST VOR, MICH ZU VER-HAFTEN, NICHT?

WIE KOMMST DU DENN DARAUF?

HAST DU DENN ET-WAS GETAN, WESWEGEN DU VERHAF-TET WERDEN MÜSSTEST?
NEIN! ABER ALLE HALTEN MICH FÜR BÖSARTIG UND KRIMINELL!
DABEI... HABE ICH NICHTS GETAN ...!
SIE WEISS ES...

GUT ER-
KANNT.
ZACK

HE...

DAS HEISST ALSO, DU BIST DOCH EIN...

SORRY, ABER ICH MUSS VERHINDERN, DASS DU DICH WEHRST ODER WEGLÄUFST.

ICH BIN INSPEKTOR DER INTER-NATIONALEN POLIZEI.
MEIN DECKNAME IST "DIE SCHWARZE NUMMER ZWEI".

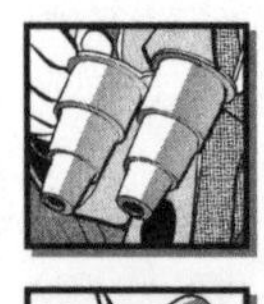

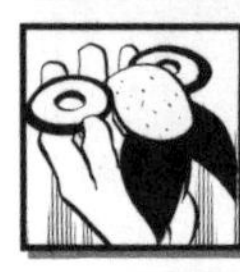

LEBELLE

BERUF: BEAMTER DER INTERNATIONALEN POLIZEI
RANG: HAUPTMANN
DECKNAME: LEBELLE (IN MANCHEN FÄLLEN BENUTZT ER DEN NAMEN "LEX BELLO")
ALTER: UNBEKANNT
GEBURTSTAG: UNBEKANNT
HERKUNFTSORT: UNBEKANNT

ER GEHÖRT ZU DEN ERFAHRENEN KRÄFTEN DER INTERNATIONALEN POLIZEI. EINST LEITETE ER DIE ERMITTLUNGEN IN DEM ALS "TEAM GALAKTIK-/ZERR-WELT-FALL" BEKANNTEN FALL IN DER SINNOH-REGION, DER SICH UM DAS LEGENDÄRE POKÉMON GIRATINA DREHTE. DANACH WURDE ER NACH EINALL ENTSANDT, WO ER AUF TEAM PLASMA ANGESETZT WURDE: IM ZUGE DER ARBEIT AN DIESEM FALL NAHM ER AN DER POKÉMON-LIGA TEIL. LEBELLE VERFOLGT TEAM PLASMA ALSO BEREITS SEIT ÜBER ZWEI JAHREN.

OBWOHL ER MANCHMAL ETWAS FAHRIG WIRKT, GENIESST ER AUFGRUND SEINES LEIDENSCHAFTLICHEN WESENS UND DES STARKEN VERANTWORTUNGSBEWUSSTSEINS FÜR DEN POLIZEIBERUF, DAS IHN DAZU BRINGT, JEDEN FALL MIT DER GLEICHEN BEHARRLICHKEIT ANZUGEHEN, EINEN HERVORRAGENDEN RUF BEI SEINEN VORGESETZTEN. GEGENWÄRTIG UNTERSTÜTZT ER SCHWARZY ALS DESSEN UNTERGEBENER.

DAS 11. KAPITEL,
S2-W2
ABENTEUER 540
VS. GRYPHELDIS
"DAS FLIEGENDE SCHIFF"

DIE SCHWARZE NUMMER ZWEI?!
INTERNATIONALE POLIZEI?!
I-ICH HABE NICHTS SCHLECHTES GETAN!!
NIMM MIR DIE HANDSCHELLEN AB!!
BERUHIG DICH ERST MAL.

SEIT WANN HAST DU MICH VERDÄCHTIGT… DASS ICH ZU TEAM PLASMA GEHÖREN KÖNNTE?

…

SEIT WANN …

SEIT DEM TAG, AN DEM DU AUF DIE TRAINERSCHULE GEKOMMEN BIST.

DANN…
… HAST DU DAS ALLES GETAN, UM MICH ZU ÜBERPRÜFEN?

DASS DU MICH ANGESPROCHEN...
... UND MIR GEHOLFEN HAST...
... MICH IN DER KLASSE SCHNELL ZURECHTZUFINDEN...

DASS DU DIR MEINEN GEBURTSTAG GEMERKT HAST...
... MICH MIT EINEM GEBURTSTAGSGESCHENK ÜBERRASCHT HAST...

JA.

UND ...
... WIE SOLL ICH JETZT MIT DIR KOOPERIEREN?

QUETSCH

ICH WILL OFFEN MIT DIR SEIN.
MIR WURDEN ZWEI AUFGABEN ERTEILT.

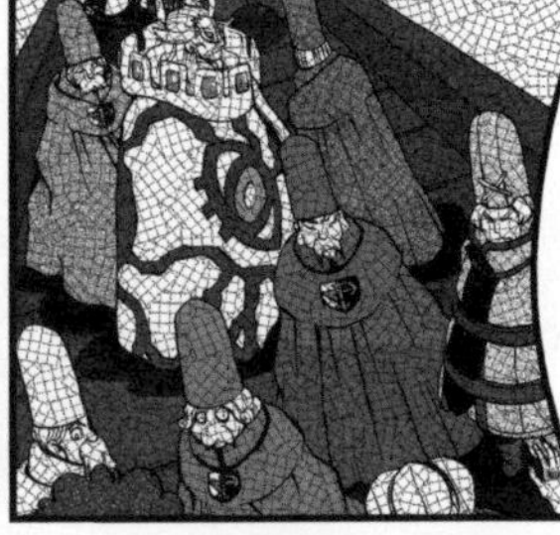
DIE ERSTE IST DIE VERHAFTUNG DER SIEBEN WEISEN.

DIE ZWEITE IST...

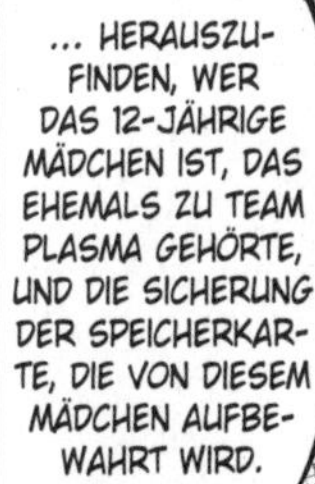
... HERAUSZUFINDEN, WER DAS 12-JÄHRIGE MÄDCHEN IST, DAS EHEMALS ZU TEAM PLASMA GEHÖRTE, UND DIE SICHERUNG DER SPEICHERKARTE, DIE VON DIESEM MÄDCHEN AUFBEWAHRT WIRD.

...

HAST DU GESEHEN...
... WIE DIE WOLKENKRATZER VON STRATOS CITY VON EINEM MOMENT AUF DEN NÄCHSTEN ZU EIS GEFROREN WURDEN?

NICK

DAS WURDE DURCH DIE NUTZUNG DER KRAFT VON KYUREM BEWERKSTELLIGT, DAS HIER AUF DIESEM SCHIFF GEFANGEN GEHALTEN WIRD.
ACHROMAS, DER ANFÜHRER DES NEUEN TEAM PLASMA, HAT KYUREM DAFÜR UNTER SEINE KONTROLLE GEBRACHT.

DU MEINST DIE ACHROMAS-MASCHI-NE.

ES GESCHIEHT ALSO OHNE DEN WILLEN VON KYUREM SELBST.
ACHROMAS ZWINGT IHM SEINEN WIL-LEN AUF.

ABER …
… ICH HABE SIE NICHT.

WEISST DU DAVON ?
IN DER SPEI-CHERKARTE SIND FORSCHUNGSDATEN ENTHALTEN, DIE DIE ACHROMAS-MASCHI-NE AUSSER KRAFT SETZEN KÖNNEN SOLLEN.

WIE BITTE?
ICH… HABE SIE NICHT HIER.

SIE WIRKT NICHT SO, ALS OB SIE LÜGEN WÜRDE, ABER…
WO IST SIE DANN ?
WAS HAST DU MIT DEM MANIPU-LIERTEN POKÉMON VOR?

ACHROMAS HAT MIT DER KRAFT VON KYUREM EINE SCHWERE KATASTROPHE HERBEIGEFÜHRT.
LASSEN WIR IHN GEWÄHREN, KÖNNTE DER SCHADEN NOCH GRÖSSERE AUSMASSE ANNEHMEN.
DIE ACHROMAS-MASCHINE UNSCHÄDLICH ZU MACHEN, IST ZWAR DRINGLICH, ABER ICH DENKE, DASS ICH ZUERST VERSUCHEN SOLLTE, KYUREM AUS DER GEWALT DIESER VORRICHTUNG ZU BEFREIEN.

ICH HABE VERSTANDEN.
ICH WERDE HELFEN, KYUREM ZU BEFREIEN.

DANACH …
… BRINGE ICH DICH ZU DER SPEICHERKARTE.

DU LÜGST MICH NICHT AN, ODER ?

ICH WILL HELFEN ZU VERHINDERN, DASS WEITERE POKÉMON UND MENSCHEN DER ACHROMAS-MASCHINE ZUM OPFER FALLEN…

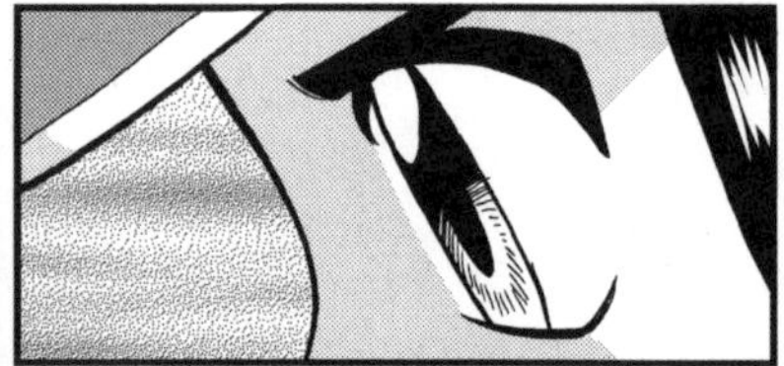

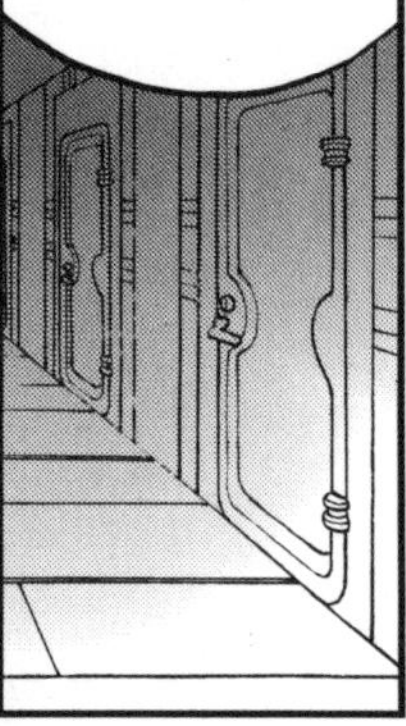
ICH HABE DAS SCHIFF BIS HIER-HER ABGESUCHT, ABER ICH HABE WEDER KYUREM NOCH ACHROMAS GESEHEN… MIR SIND AUCH FAST KEINE WACHEN BEGEGNET.

SIE MÜSSEN WISSEN, DASS ICH AN BORD BIN. WOMÖGLICH WOLLEN SIE MICH VERUN-SICHERN.
ENTWEDER GLAUBEN SIE, DASS ICH NICHT BIS ZUM RAUM GELANGE, IN DEM KYUREM GEFANGEN GEHALTEN WIRD…
… ODER SIE LOCKEN MICH UND SIND SO SELBSTSI-CHER, DASS SIE GLAUBEN, SIE KÖNNTEN MICH SCHLA-GEN…

SCHWUSCH

EIN VERSTECKTER RAUM...? NEIN, EIN FAHRSTUHL.
ANSCHEINEND WOLLEN SIE DOCH MIT MIR KÄMPFEN.

WEISSY, ICH WERDE GLEICH DEINE HILFE BENÖTIGEN.

SCHWUSCH

ZZZ
ZZZ

TOLLE ARBEIT, TARNI.
KLATSCH KLATSCH

VER-STÄR-KUNGS-EINHEIT! LOS! LOS!

WIR KOMMEN NICHT WEIT, WENN WIR SIE ALLE IN SCHLAF VER-SETZEN.

WUP!!

ICH DENKE, ICH MUSS AUF ETWAS GEWALT ZURÜCK-GREI-FEN ...
KLACK

WEISSY, HALT DICH GUT FEST, DAMIT DU NICHT RUNTER-FÄLLST.
LOS GEHT'S !

KYUREM !!
DA!
ZOMM!!
STANDPAUKE!!
PLUMPS

JETZT!
MACHT SIE FERTIG!
WRAMM
WRAMM
WRAMM
WRAMM
WRAM

SIE WIRKEN ZÖGERLICH. DAS IST UNSERE CHANCE.
GENESECT, WIR WERDEN DURCHBRECHEN!

OFFENBAR HAST DU DICH INZWISCHEN WIEDER BERUHIGEN KÖNNEN, WAS, KELDY?

DAS POKÉMON VON DAMALS ...?

TECHBLASTER!!

KAZING

WUUUUUMP

EIN URZEITLICHES POKÉMON VON TYP KÄFER, DAS DAS FOR-SCHERTEAM VON TEAM PLASMA AUS DEM FOSSILEN ZUSTAND WIEDERBELEBT HAT. SIE HABEN ES MIT EINER PANZERUNG UND EINER KANONE VERSEHEN.
KEUCH
KEUCH

IST DAS... EIN POKÉMON?

DIE KASSET-TE WURDE ZU STARK ERHITZT. DIE BELASTUNG WAR WOHL ZU GROSS...

KLAPP

PASS AUF! DURCHTRENNE ALLE SCHLÄU-CHE UND KABEL, MIT DENEN DIESE VORRICHTUNG VERBUNDEN IST!

TUT MIR LEID, GENESECT.
SCHNAPP

KELDY, DU ÜBER-NIMMST.

WENN DIE LEITUNG FÜR DIE ENERGIE VON KYUREM UNTERBRO-CHEN IST…
… WIRD NICHT NUR DIESE EISWAFFE, SONDERN DAS GANZE SCHIFF NICHT MEHR FUNK-TIONIEREN!

WAS?

RUMPEL
RUMPEL

KYUREM IST NICHT HIER!

ZACK

STRAHL

HIER BEFINDET SICH NUR DIE VORRICHTUNG, DIE DIE KRAFT VON KYUREM ABSORBIEREN SOLL.
DA MEHR ALS GENUG ABSORBIERT WURDE, IST ES NICHT WEITER SCHLIMM, WENN SIE VERNICHTET WIRD.

OB FÜR DEN WEITEREN FLUG MIT DER PLASMA-FREGATTE ODER FÜR DIE EINFRIERUNG VON GANZ EINALL, WIE ES BEREITS MIT STRATOS CITY GESCHEHEN IST...
... UNSERE ENERGIEVORRÄTE SIND SO GROSS, DASS WIR AM ENDE NOCH REICHLICH ÜBRIG HABEN WERDEN.

ACHROMAS ...!

HUSCH

AH, DU WILLST NOCH EINMAL DAS GENESECT HERVORHOLEN?
BIST DU DIR SICHER? DER POKÉBALL SCHEINT VOLL MIT RAUCH ZU SEIN.

NUN, ICH MUSS WEITERE VORBEREITUNGEN TREFFEN. ICH WÄRE DIR VERBUNDEN, WENN DU MICH NICHT WIEDER STÖRST.

KIPPT DAS BITTE INS MEER.
JA-WOHL.

SCHWUSCH

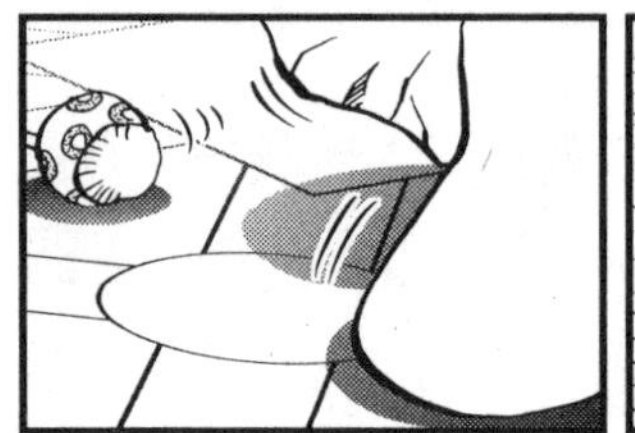

WATSCH

BLUBB...

SO, WELCHE STADT FRIEREN WIR ALS NÄCHSTE EIN…?

WARUM… WOFÜR…
ACH, ENDLICH SIND SIE AUFGEWACHT, VIOLACEUS.

ICH HABE DARÜBER NACHGEDACHT, WIE EIN MINDERWERTIGES WESEN WIE SIE VOR ZWEI JAHREN KYUREM FINDEN UND FANGEN KONNTEN…

… UND WARUM KYUREM AUSGERECHNET VOR IHREN AUGEN ERSCHIENEN IST.

ICH WEISS NICHT, OB IHNEN DAS NICHT AUFGEFALLEN IST, ODER SIE ES MIR ABSICHTLICH NICHT GESAGT HABEN…
… VERMUTLICH IST ES ERSTERES…
… ABER DIE ANTWORT IST SIMPEL.

DAS NACH FUSION STREBENDE KYUREM…
… HAT AUF DIE ENERGIE REAGIERT, DIE DAS ERWACHTE ZEKROM ABGESTRAHLT HAT.

ES DÜRFTE MÖGLICH SEIN, DASS DAS AUCH IN GEGENRICHTUNG PASSIERT.

DAS HEISST, DASS DIE VOR ZWEI JAHREN ERSCHIENENEN ZEKROM UND RESHIRAM ALS REAKTION AUF DIE VON KYUREM EINGESETZTE KRAFT AKTIV WERDEN...

NEIN, VIELLEICHT SIND SIE JA BEREITS IRGENDWO WIEDER AUFGETAUCHT!

ERMITTLUNGSAKTE DER INTERNATIONALEN POLIZEI <<BERICHT>>

EINALL-REGION

KYUREM, LEGENDÄRES POKÉMON VOM TYP EIS

SCHWARZE NUMMER ZWEI AN ZENTRALE. IM ZUGE MEINER ERMITTLUNGEN IN EINALL HABE ICH MIR ALS SELTEN GELTENDE ARTEN VON POKÉMON DIESER REGION GENAUER ANGESEHEN. DABEI HAT SICH HERAUSGESTELLT, DASS DAS POKÉMON KYUREM EINE ZENTRALE ROLLE IN DEN PLÄNEN VON TEAM PLASMA EINNIMMT. ANBEI BEFINDEN SICH BISHER ERLANGTE INFORMATIONEN.

DIE SCHWARZE NUMMER ZWEI

ABGEWORFENE HÜLLE

ALS ICH INFORMATIONEN ZUM AUFENTHALTSORT VON EINIGEN DER SIEBEN WEISEN NACHGEGANGEN BIN, KONNTE ICH DURCH ZUFALL KYUREM AUSFINDIG MACHEN. DER ORT DES AUFEINANDERTREFFENS WAR DER BAUPLATZ DES GEBÄUDES FÜR DAS POKÉMON WORLD TOURNAMENT IN MAREA CITY, AUSSERHALB DER KANALISATION. BIS VOR ZWEI JAHREN BEFAND SICH DORT EINE ANLAGE, DIE ALS "TIEFKÜHLCONTAINER" GENUTZT WURDE. ES SIND NOCH EINIGE CONTAINER VORHANDEN, DIE NOCH ABGEBAUT WERDEN MÜSSEN. AUS EINEM DIESER CONTAINER TAUCHTE KYUREM AUF. LAUT EINER ÜBERLIEFERUNG SOLL KYUREM AUS DER HÜLLE ENTSTANDEN SEIN, DIE BEI DER TRENNUNG DER BEIDEN LEGENDÄREN POKÉMON EINALLS HINTERLASSEN WURDE... DOCH BERÜCKSICHTIGT MAN DIE ENORME KÄLTEENERGIE, DIE AUS DEM CONTAINER BIS IN DIE KANALISATION DRANG, GELANGE ICH ZU DER EINSCHÄTZUNG, DASS ES SICH BEI KYUREM NICHT UM EINE BLOSSE HÜLLE HANDELN KANN.

VIOLACEUS

BEI MEINER BEGEGNUNG MIT KYUREM BEFANDEN SICH VIOLACEUS, EINER DER SIEBEN WEISEN, SOWIE ACHROMAS, DER ANFÜHRER DES NEU FORMIERTEN TEAM PLASMA, VOR ORT. DASS ES ZWISCHEN DEN BEIDEN OFFENBAR ZU EINEM KAMPF GEKOMMEN WAR, BESTÄRKT MICH IN DER ANNAHME, DASS AUCH INNERHALB DES NEU FORMIERTEN TEAM PLASMA MACHTKÄMPFE AUSGEFOCHTEN UND UM INFORMATIONEN GESTRITTEN WIRD. AN DIESER STELLE BITTE ICH SIE DRINGLICHST, MIR AUS DEM ARCHIV MATERIAL ZU DER TEILNAHME VON "GRAU" AN DER POKÉMON-LIGA VOR ZWEI JAHREN ZUZUSENDEN.

TRIEBKRAFT

DIE VORRICHTUNG, DIE MICH BEI MEINEN BISHERIGEN ERMITTLUNGEN AM MEISTEN ÜBERRASCHT HAT, IST DAS FLIEGENDE SCHIFF GEWESEN. TEAM PLASMA HATTE ZWAR AUCH IN DEM ZURÜCKLIEGENDEN FALL EINE ART SCHLOSS ERBAUT, DAS SICH UNTERIRDISCH FORTBEWEGEN KONNTE, UND ES WÄHREND DER ENDRUNDE DER POKÉMON-LIGA ERSCHEINEN LASSEN; SOWEIT ICH ES ALLERDINGS EINSCHÄTZEN KANN, IST DIESES SCHIFF IN DER LAGE, WEITAUS SCHWERERE SCHÄDEN ZU VERURSACHEN. FERNER KONNTE ICH HERAUSFINDEN, DASS DIE ENERGIE VON KYUREM NICHT NUR ALS TRIEBKRAFT DES SCHIFFS DIENT, SONDERN AUCH ALS ENERGIEQUELLE FÜR DIE BORDWAFFEN, MIT DENEN SIE GESCHOSSE AUS EIS ABFEUERN.

FUSION

WENN MAN DIE BISHER WÄHREND DER ERMITTLUNGEN ERLANGTEN INFORMATIONEN ZUSAMMENFÜGT, GELANGT MAN ZU DEM WORT "FUSION" BZW. "VEREINIGUNG". ES IST OFFENSICHTLICH, DASS KYUREM, DAS JA ANGEBLICH AUS EINER HÜLLE ENTSTANDEN SEIN SOLL, KÄLTE EINSETZT, UM SEINEN KÖRPER ZU STABILISIEREN. ABER WAS WÄRE, WENN ES NACH EINER NOCH GRÖSSEREN STABILITÄT UND STÄRKE STREBT...? WAS AN DIESER STELLE FOLGT, MAG NUR SPEKULATION SEIN, DOCH IST DIE MÖGLICHKEIT NICHT VON DER HAND ZU WEISEN, DASS EINE FUSION VON KYUREM MIT ANDEREN POKÉMON BEVORSTEHEN KÖNNTE.

3

Bereits
erhältlich

Story

HIDENORI KUSAKA

Zeichnungen

SATOSHI YAMAMOTO

Übersetzung

GYO ARAIWA

Lettering

LARA IACUCCI

ACHTUNG!

Dieser Comic wird wie im Original gelesen:
von rechts nach links,
also fangt einfach von der anderen Seite des Buches an
und stürzt euch in die MANGA-Welt von

POKÉMON SCHWARZ 2 UND WEISS 2 erscheint bei **PANINI MANGA**, Schloßstraße 76, D-70176 Stuttgart. POKÉMON SCHWARZ 2 UND WEISS 2 wird unter Lizenz in Deutschland von PANINI Verlags-GmbH veröffentlicht. Druck: LEGO PRINT S.p.A. Anzeigenverkauf: BLAUFEUER VERLAGSVERTRETUNGEN GmbH, info@blaufeuer.com. Es gilt die Anzeigenpreisliste Nr. 19 vom 01.10.2021. Direkt-Abos auf **www.paninicomics.de**. Geschäftsführer **Hermann Paul**, Publishing Director Europe **Marco M. Lupoi**, Finanzen/Logistik **Felix Bauer**, Marketing Director **Holger Wiest**, Marketing **Rebecca Haar**, Vertrieb **Alexander Bubenheimer**, Logistik **Ronald Schäffer**, PR/Presse **Steffen Volkmer**, Publishing Manager **Lisa Pancaldi**, Redaktion **Stephanie Jakob**, **Matthias Korn**, **Daniela Uhlmann**, Übersetzung **Gyo Araiwa**, Proofreading **Genoveva Fincias Alonso**, grafische Gestaltung **Rudy Remitti**, **Nicola Spano**, Art Director **Alessandro Gucciardo**, Redaktion Panini Comics **Beatrice Doti**, **Elisa Panzani**, Repro/Packager **Alessandro Nalli** (coordinator), **Mario Da Rin Zanco**, **Valentina Esposito**, **Luca Ficarelli**, **Simone Guidetti**, **Linda Leporati**, **Fabio Melatti**.

ISBN 978-3-7416-0814-8

Digitale Ausgaben:
ISBN 978-3-7367-3818-8 (.pdf) / ISBN 978-3-7367-3819-5 (.epub) / ISBN 978-3-7367-3817-1 (.mobi)

Bibliografische Information der Deutschen Nationalbibliothek
Die Deutsche Nationalbibliothek verzeichnet diese Publikation in der Deutschen Nationalbibliografie; detaillierte bibliografische Daten sind im Internet über http://dnb.d-nb.de abrufbar.